JESUS SANCHEZ DIAZ

SAN MARTIN DE PORRES

HEROICO DISCIPULO DE CRISTO

XIX Edición

Nihil obstat
Francisco Alcaraz Z.
Provincial de la Sociedad de San Pablo
México 13, D. F., 20 de agosto de 1981

Nihil obstat
Juan Manuel Galaviz H.
Censor eclesiástico
México 21, D. F., 11 de sepriembre de 1981

Primera edición, 1981
19ª edición, 2000

Av. Taxqueña 1792 - Deleg. Coyoacán - 04250 México, D. F.

Impreso y hecho en México
Printed and made in Mexico

ISBN: 970-612-188-9

PROLOGO

Desde el 6 de mayo de 1962 brilla en el cielo estelar de la Iglesia católica con caracteres de oro el nombre de Martín de Porres, un valor humano y cristiano canonizado por el Papa Juan XXIII en mérito a la grandeza de su trabajo, a la caridad sin límites, a la humildad y fortaleza de espíritu y muchas otras virtudes que, durante los sesenta años escasos de su existencia terrena, desarrolló en grado heroico ese hijo del mundo afro-hispanoamericano, de "padre desconocido" y liberta negra, eximio imitador de Cristo, nacido y muerto a orillas del Pacífico, flor peruana de exquisito aroma e insuperable cromatismo, que encerró en sí lo mejor de la nobleza castellana, el espíritu de abnegación y sacrificio de la sufrida raza negra y la asombrosa fecundidad americana.

Fray Martín de Porres está inscrito en el libro de los Santos; ocupa un lugar de preeminencia entre todos los nacidos y es acreedor al culto y loa de los mortales, a pesar de su piel morena y origen "oscuro", para sonrojo de la odiosa segregación racial practicada por gentes que se consideran de estirpe superior y hasta se atreven a denominarse "cristianos". Figura entre los hombres más distinguidos, meritorios y bienaventurados, cuya gloria no se extinguirá jamás ni en el cielo ni en la tierra, para oprobio de los despóticos, altaneros y poderosos de la tierra, que alardean histéricamente de una sabiduría y de unos méritos que están muy distantes de poseer, así como de los encumbrados y potentados millonarios que desprecian a los demás y pasan por el mundo dejando una estela de actos reprobables, de injusticias, de desenfreno, de iniquidad, para caer en el más despreciable olvido poco después de muertos o ser motivo de nefasta recordación, dando pie para creer que sepulten sus almas en los abismos infernales, porque a Dios no se le engaña.

Está en los altares el humilde vástago de infeliz libertad para que la aureola de santidad debida a sus virtudes humanas de la sinceridad, del altruismo, de la benevolencia, de la dedicación hacia el prójimo y sincera humildad, nos sirva a todos de estímulo y acicate, despertándonos deseos de imitarle e inclinándonos a ser tolerantes, comprensivos, respetuosos, sin molestarnos por las opiniones que sostegan los demás, sin sentir odio infernal hacia los adversarios, sin hablar mal de todo y de todos, precisamente, por estar insatisfechos de nosotros mismos.

¿Por qué hemos de pretender que se nos ensalce, reconozca y aplauda? ¿A qué creernos superiores y mejores que otros? Los españoles e hispanoamericanos debemos buscar la solidaridad cristiana entre todos los hombres y estimularnos ante el luminoso ejemplo que nos da este hijo de nuestra misma estirpe, el heroico y abnegado émulo de Cristo, Fray Martín, que a todos nos sonríe desde la gloria, invitándonos a "tener buen tino para andar esta jornada sin errar". Pensemos en la futilidad de las grandezas humanas, en la amargura que encierran los deleites terrenales, en la inutilidad de perseguir "el aire, sombra, polvo y humo" de las vanidades y egoísmos de este mundo, "devaneos y verduras de las eras", bienes pequeños, vida que es "sueño", para fijar nuestra mirada en la "perfecta alegría" franciscana, en los bienes imperecederos que se conquistan con la imitación de Cristo para ganancia propia y ajena. Así seremos justos y realmente sabios, estaremos en paz con nosotros mismos y adquiriremos el cielo, que es, en definitiva, lo que importa, puesto que "el que se salva sabe y el que no, no sabe nada".

Vivamos conforme al Evangelio para conseguir un mundo mejor, emulando en lo posible, ayudados por la divina gracia, a nuestro excelso Fray Martín. En la vida de este fiel siervo de Cristo, que no hacía distinción en su caridad entre potentados y miserables, ni entre opresores y oprimidos, para procurarles algún bien, que respondía con señalados favores a las injurias y que nunca tomaba en consideración los insultos más groseros, aprenderemos a ser mejores cada día. Lo que él hacía en nuestro Siglo de Oro, ¿por qué no hacerlo nosotros en este XX para hallar la solución a los problemas individuales y sociales con el reinado de la caridad sobrenatural, que se hace operativa cuando se alimenta en la contemplación?

De este modo aportaríamos nuestro granito de arena para la felicidad humana, que en el fondo sólo es un problema de inteligencia, mereceríamos bien de la humanidad, nuestro paso por la vida iría ensanchando el Reino de Cristo y nos proporcionaría una muerte tranquila por la seguridad de ir a reunirnos con el humilde morenito, ilustre y poderoso mediador ante el trono de Dios, que a todos nos señala el camino de la verdadera celebridad y del honor efectivo.

México, D. F., 9 *de Septiembre de* 1962

EL AUTOR

I. FAMILIA, INFANCIA Y VOCACION

Nacimiento

En alguna humilde casita de la calle Malambo, de la luminosa ciudad de Lima, situada a orillas del río Rimac y a unos diez kilómetros de su desembocadura en el Pacífico, la bulliciosa y opulenta capital del virreinato español del Perú, fundada por Francisco Pizarro, primeramente en el valle de Jauja en 1530, con el nombre de "Ciudad de los Reyes" y trasladada cinco años más tarde en su actual emplazamiento por Juan Tello, siguiendo órdenes del Conquistador, nació el 9 de diciembre de 1579, un robusto y rebullentejo niño de tez morena y demás rasgos fisonómicos de la fuerte raza negra.

Su madre, una agraciada y joven negrita panameña, hija de esclavos cazados y arrebatados de su tierra de origen, como si de animales salvajes y dañinos se hubiese tratado, y conducidos a las fértiles y vírgenes tierras del Nuevo Mundo en las bodegas de veleros, como bestias para el trabajo del campo, en condiciones que decían muy poco en favor de gentes bautizadas y que de cristianos sólo tenían el nombre para escarnio y deshonra del divino Crucificado.

¡Esclavitud! ¡Palabra horrenda! ¿Por qué se admitía oficialmente y la toleraban los Poderes de naciones católicas, a pesar de saber que "el indio rudo, el tostado africano" era "su hermano"? ¿Por qué clase de *hermanos* tendrían a los esclavos? Y pensar que la esclavitud no desapareció por móviles humanitarios, sino por haber llegado a ser una institución antieconómica...

Tal vez fuese adquirida y luego emancipada en Panamá la joven negra por *Juan Porres,* hidalgo burgalés, caballero de la Orden Militar de Alcántara, emigrado a América en busca de fortuna con que realzar sus títulos y honras, y que debía disfrutar allí alguna encomienda, o quizás la conociese el burgalés siendo ya liberta. El caso es que se enamoró de ella, y, como los españoles no tenían, por lo general, prejuicios raciales y había pocas españolas en el Nuevo Mundo, hizo vida conyugal con ella y le prometió convertirla en esposa. Poco después se la llevó consigo a Lima, cabeza del Virreinato del Perú, a donde se trasladó para ver de conseguir que se le nombrase gobernador de algunas de las muchas provincias que abarcaba dicho Virreinato. Fruto de sus amores, fue, primero, el niño mulato cuyo nacimiento acabamos de mencionar, y dos años después, una niña con todos los caracteres de la raza blanca.

Herido en su orgullo don Juan viendo que el vástago dado a luz por Ana Velázquez, que así se llamaba la liberta, tenía la piel oscura, los labios gruesos y la cabecita negroidea, no quiso saber nada de él, y en el registro bautismal de la iglesia de San Sebastián, donde recibió las aguas regeneradoras el neófito, figuró el nuevo cristiano, de nombre Martín, como hijo de Ana y de padre "desconocido".

La partida bautismal, escrita de puño y letra del sacerdote que le administró el Sacramento, reza así:

"Miércoles 9 de diciembre 1579 baptice a martin hijo de padre no conocido y de ana velazquez, horra fueron padrinos jn. de huesca y ana de escarcena y firmelo Antonio Polanco".

Cierto es que, años más tarde, haciendo honor el pundonoroso español a su fe religiosa y deberes de padre, reconoció como hijos suyos a Martín y a la hermanita de éste, Juana, dos años más pequeña, por lo que nuestro negrito pudo ostentar el apellido Porres.

Infancia

El pequeño Martín, sin embargo, no contó en los primeros años con el calor paternal, pues el hidalgo se limitaba a visitar de vez en cuando a la liberta en su humilde morada, hacía alguna ligera caricia a los niños y dejaba pequeñas sumas para su sostenimiento. A los vecinos no les ocultaba la verdadera situación de aquellos tres seres, y Martín tendría que sufrir, seguramente, las burlas, el desprecio y los insultos de pequeños y tal vez de mayores de la barriada, cosas todas que debió aguantar con admirable serenidad y cristiana resignación. Amaba entrañablemente a su madre y ésta a él. Eso le bastaba y todo lo demás le tenía sin cuidado. Juntos rezaban y juntos ofrecían a Dios sus penas y sinsabores.

Aunque Lima era la ciudad más culta del continente sudamericano y contaba con una célebre universidad, la de San Marcos, fundada en 1551, así como con numerosas escuelas de primera y segunda enseñanza —pues no debemos olvidar que por entonces era España la primera potencia del mundo en todos los órdenes— Martinito no pudo frecuentar ningún centro docente. Pero en la escuela de Ana, el niño se instruyó en la doctrina cristiana, calando muy hondo en su corazón cuanto se le decía acerca de los misterios de nuestra religión y de las verdades teológicas y morales contenidas en el Evangelio.

En cuanto fue para valerse por sus propios medios, utilizó sus servicios la madre, encomendándole el cuidado de la hermanita, ciertas faenas de la casa —debía barrerla muy bien— y hasta hacer la compra cuando ella no podía salir. Ya entonces demostraba el pequeño Martín ser buen imitador de su santo patrono y su apasionamiento por la caridad predicaba y practicada por el divino Maestro, que la señaló como virtud distintiva de todos los buenos cristianos.

Piedad religiosa y humana

Algunas veces Martinito tardaba mucho en hacer los "mandados" a su madre y ésta se mostraba contrariada, como es natural, por no salirle las cosas como las había previsto.

¿Qué ocurría?

Primeramente, si en el trayecto encontraba alguna iglesia abierta, no vacilaba en entrar para saludar al Padre de los Cielos, que lo había hecho hijo suyo mientras que el padre de la tierra se desentendía, prácticamente, de él. Cruzando con paso ligero la espaciosa nave, el mulatillo iba a arrodillarse lo más cerca que podía ante el sagrario o alguna imagen de Cristo crucificado y de la Sma. Virgen, desahogándose con ellos mediante coloquios encantadores.

Por no poder ver ninguna lástima y haciendo caso omiso de la penuria y dificultades económicas de su casa, llevado de su generosidad e innato amor al prójimo necesitado, no vacilaba en socorrer más de la cuenta a otros infelices, volviendo con la compra a medio hacer o francamente sin nada en la cesta ni una "gorda" o "patacón" en el bolsillito.

—Por tu culpa hoy tendremos que ayunar a la fuerza —le decía su madre. —¿Te parece bien que tu hermanita no tenga qué comer?

Martín reconocía su "falta", lloraba y, aunque prometía enmendarse, en cuanto se le presentaba nueva ocasión, volvía a las andadas.

Rectificación de Juan Porres

No pasaban desapercibidas en el vecindario las bellas cualidades del pequeño mulato. Viéndole tan espabilado, bueno, voluntarioso y servicial, murmuraba la gente:

—¿No es un crimen que teniendo un padre rico e influyente esté tan abandonado un chico de tanto mérito como éste?

Por aquel entonces, Juan de Porres no vivía en Lima, sino que se hallaba destinado en Guayaquil, principal puerto del Ecuador; pero iba de vez en cuando a la capital del virreinato para el despacho de diversos asuntos, acercándose de paso a visitar a su "familia". Las críticas del vecindario debieron llegar de una u otra forma a sus oídos y, después de reconocer a Martín y a Juanita como hijos suyos —según ya lo hemos indicado— determinó llevárselos consigo a Guayaquil, donde los atendió cual correspondía a verdadero padre.

No sólo los tuvo en su propia casa, sino que encargó de su instrucción a maestros competentes y él mismo destinaba cierto tiempo para ocuparse personalmente de su educación.

Yendo una vez de paseo con las dos criaturas, acertó a encontrarse con ellos D. Diego de Miranda, tío de Porres, que le preguntó quiénes eran aquellos niños. Sin titubeos, respondióle el hidalgo castellano:

—Son hijos míos y de Ana Velázquez. Los mantengo y cuido de su educación.

Martín tenía entonces ocho años y Juanita seis.

Pero este período de vida plácida y desahogada duró poco, unos cuatro años, porque a Juan Porres lo nombraron gobernador de Panamá, y aunque hubiese podido llevar allí a los dos hijos de Ana, optó por mandarlos de nuevo a Lima; no sin antes haber procurado que ambos recibiesen el sacramento de la Confirmación, que les administró el arzobispo de dicha ciudad, Sto. Toribio de Mogrovejo.

Del cuidado de Ana y de sus dos hijos, encargó a su tío, don Diego de Miranda, dejando asimismo una importante cantidad de dinero para que pudieran vivir sin grandes apuros.

Elección de oficio

Tenemos nuevamente en Lima a Martín, junto a su adorada madre y en compañía de Juana.

El muchacho está instruido, es inteligente, vivaracho, con salud a prueba de bombas. Tiene toda una vida por delante y motivos para mirar el porvenir con cara sonriente y claro optimismo. Como ya es mayorcito, entra en la preocupación de elegir oficio o tomar algún empleo con el que subvenir a sus propias necesidades y las de su madre, para no depender de ayudas ajenas. De Juanita se ocupaba el tío abuelo don Diego.

Por lo visto, el padre se había desentendido del camino que debía seguir su hijo, dejando a la iniciativa de éste ocuparse en lo que según sus gustos más le atrajese.

En las proximidades de la casa de Martín vivía un matrimonio, el de los esposos Mateo Pastor y Francisca Vélez, que se habían prendado del trato amable y desenvoltura del avispado mulato, quien correspondía al afecto de sus amigos y se sentía en su casa como su familia.

Mateo Pastor tenía una tienda de especias y hierbas medicinales, es decir, una especie de botica o farmacia de aquellos tiempos. Allí se familiarizó el muchacho con todas las manipulaciones farmacéuticas de la época, sintiéndose instintivamente atraído por todo lo relativo al conocimiento de las enfermedades y de los remedios más eficaces.

Asiduo contertulio de la "botica" era Marcelo Ribera, Maestro Barbero, que era tanto como decir barbero-médico-practicante-cirujano.

Observando Ribera la afición, buena voluntad y aptitudes de Martín, trabó inmediatamente estrecha amistad con él y le invitó a colocarse de mancebo o ayudante suyo.

No se lo hizo decir dos veces el muchacho, que no deseaba otra cosa, y en seguida empezó a cumplir maravillosamente cuanto le encomendaba su principal.

En poco tiempo aprendió Martín, además de afeitar y cortar el pelo a los parroquianos con arte singular, a hacer sangrías, curar heridas y fracturas y hasta recetar los remedios más corrientes a los enfermos.

Cuando Ribera debía ausentarse de su establecimiento, dejaba a su auxilar de "guardia".

Durante una ausencia del "titular" —digámoslo así— se presentaron en la barbería-clínica tres o cuatro hombres llevando en brazos a un indio ferozmente apaleado y chorreando sangre por todas partes. Grande fue la decepción de aquellos buenos "samaritanos" al ver que no se hallaba el "maestro"; pero mayor su asombro al observar la destreza y la habilidad del mancebo en lavar las heridas, vendarlas con todas las reglas del arte y tonificar el cuerpo del infeliz con un buen vaso de vino. Al cabo de unos días, el indio estaba como nuevo.

Con este y otros casos análogos, empezó a extenderse la fama del mulatito, cuyos servicios nada tenían que envidiar a los del Maestro Barbero peninsular, llegando los clientes a preferir las manos del indígena a las del profesional ultramarino, aunque a decir verdad, también pudo mezclarse en el asunto la honrilla lugareña.

La profesión habría podido proporcionar a Martín no poco dinero; pero el chico que, llevado de su amor al prójimo, no había tenido inconveniente desprenderse hasta del último maravedí para aliviar la suerte de los necesitados, exponiendo a un forzado ayuno a los suyos, de mayorcito seguía con las mismas ideas altruistas y extremadamente caritativas, por lo que apenas ingresaba algo a su casa. No obstante, se sentían dichosas las dos mujeres y él, puesto que Ana era muy poco exigente y se conformaba con cubrir las necesidades reales de la familia.

Vocación

Entre tanto, la piedad de nuestro Martín iba en constante aumento. Para cumplir con Dios, atender a su madre y no descuidar las obligaciones de su oficio, procuraba tomarse tiempo. Madrugaba y, de este modo, acudía muy temprano a la iglesia de San Lázaro, donde ayudaba las Misas que podía, hacía la compra a su madre y luego se iba a la barbería-clínica de Marcelo Ribera, donde llegaba con matemática puntualidad.

Por la noche, tras una jornada de intensa actividad, se encerraba en su modesta vivienda de la calle Malambo y se entregaba largas horas a la lectura, principalmente religiosa, y a la oración.

Con el fin de no molestar ni despertar sospechas en su bondadosa madre, aparentaba acostarse, y cuando Ana y Juana se hallaban dormidas, encendía los cabos de vela que le facilitaba su patrona, doña Ventura de Luna, y se dedicaba a cultivar su espíritu en la forma que hemos dicho.

Poco a poco fueron abriéndose paso en la conciencia del generoso muchacho ideas claras sobre la vanidad de las cosas del mundo, la facilidad de perder el alma y la grandeza de entregarse al servicio de Dios y del prójimo por amor suyo. Sintió poderosamente en su alma la apremiante invitación de Cristo: "Si quieres ser perfecto, ve, vende cuanto tienes, dalo a los pobres, y tendrás un tesoro en los cielos, y ven y sígueme".

Como nada poseía, en oposición al joven rico del Evangelio, Martín se sintió aligerado de la obligación de vender cosa alguna, y muy impulsado, en cambio, a seguir a nuestro Señor por la vía del renunciamiento, de la ardiente caridad y de la continua oración.

Anhelaba, en definitiva, hacerse religioso.

Pero, ¿le admitirían en algún convento, dado su oscuro origen y el color de su piel, que delataba su *clase* inferior?

Ya por entonces, a pesar del escaso tiempo que estaban los españoles en América, había, en Lima, como en el resto de las principales ciudades del Nuevo Mundo, conventos y residencias misioneras de Franciscanos, Agustinos, Mercedarios, Jesuitas y, principalmente, Dominicos, que en corto período de tiempo proporcionaron a la Iglesia muchos más fieles de los que le había arrebatado la herejía protestante.

Entre todas estas órdenes religiosas, ninguna llamó tanto la atención del piadoso mulato como la de los Dominicos, o Predicadores, de Sto. Domingo de Guzmán. Día a día se hizo obsesión en él alcanzar la dicha de ingresar en la Orden Dominicana para entregarse completamente al gran negocio de la perfección cristiana.

II. DESEO CUMPLIDO

En el convento de Nuestra Señora del Rosario

La vida de trabajo, oración y buenas obras llevada hasta entonces en el siglo, no satisfacía a Martín. Aspiraba a más. Estaba sediento de perfección y de la entrega total de sí, como exigencia de la caridad que se había encendido en él durante las prolongadas meditaciones nocturnas en las que se había empapado de lo dicho por San Pablo: "Cristo se humilló, hecho obediente hasta la muerte, y muerte de cruz". Tampoco quería vivir él, sino que fuese Cristo quien viviese en su persona, correspondiendo de ese modo, a quien tanto le había amado que se había entregado por él.

Quería ofrecer al Señor la juventud, los mejores años de su vida.

Para cumplir tan ardiente deseo dejó lo único que poseía, el honroso y lucrativo (para otros) empleo en casa de Marcelo Ribera, sacrificó la dulzura de vivir con su adorada madre y querida hermana con el fin de acogerse a la respuesta dada por Jesús a Pedro: "No hay nadie que habiendo dejado casa, o hermanos, o hermanas, o madre, o padre, o hijos, o campos, por amor de Mí y del Evangelio, no reciba el céntuplo ahora y la vida eterna en el siglo venidero". Por eso, un buen día, se presentó en el convento de Nuestra Señora del Rosario de los frailes Predicadores de la ciudad de Lima, para pedir lo más humilde que cabía solicitar y que mejor cuadraba en su deseo de entrega total: ingresar como *oblato*.

En los Dominicos había tres clases principales de religiosos:

a) Los oblatos, que eran miembros de la Tercera Orden, que se dedicaban a los trabajos más pesados y serviles, propios de los criados, recibiendo en compensación únicamente alojamiento, comida y vestido, consistente éste en una túnica de lana blanca y un sobre-hábito negro, pero sin capucho ni escapulario.

b) Los legos, profesos dedicados a trabajos auxiliares, que vestían el hábito completo.

c) Los clérigos y sacerdotes, ocupados en los estudios y las diversas funciones del sagrado ministerio, dando gran importancia a la predicación de la Palabra de Dios.

Todos ellos tenían vida de intensa oración en común y en privado.

Inducido por su sincera y profunda humildad, Martín no aspiraba más que a entrar como religioso del último escalón, sin pretender otra cosa que hallarse en un centro de perfección espiritual y desarrollar un trabajo oscuro y abnegado.

La humilde petición no necesitaba grandes recomendaciones y, como quiera que el solicitante debía ser conocido con anterioridad por los superiores, puestos de acuerdo el prior del convento limeño P. Francisco Vega, y el provincial, P. Juan de Lorenzana, admitieron sin dificultad como oblato al virtuoso joven mulato.

Tenía entonces nuestro héroe, unos dieciséis años de edad.

Amor propio herido

No tardó mucho don Juan de Porres en enterarse de lo sucedido. Como caballero español y buen cristiano en el fondo, no podía oponerse a que su hijo ingresase en la ínclita Orden de los Predicadores, fundada, precisamente, por el gran compatriota Sto. Domingo de Guzmán. Mas, ya que Dios le llamaba por el camino de la perfección religiosa, le habría gustado que siguiera los oportunos estudios hasta recibir las sagradas Ordenes, que confieren una dignidad superior a cualquier otra de la tierra, siempre que no hubiese algún impedimento insuperable. Ciertamente Juan de Porres no se oponía a que su hijo entrase en religión. Lo que le mortificaba y le sabía muy mal, era que ingresase de simple oblato, que equivalía a tener de por vida la consideración de un criado. Por lo mismo, ejerció toda su influencia y presionó cuanto pudo al Padre Provincial para que su hijo iniciase los estudios eclesiásticos, y al no ser absolutamente posible, que por lo menos pasase a la categoría de fraile lego.

Con el fin de complacer a don Juan, el P. Lorenzana trató de persuadir al muchacho para que tomase el "capuchón", es decir, vistiera el hábito de los legos. Pero encontró a Martín muy firme en su determinación y tales razones hubo de aducir, que el P. Provincial terminó dándose por vencido

Don Juan de Porres, tan acostumbrado a ver a otros doblegarse ante su voluntad, tuvo que inclinarse ante la de aquel bienaventurado hijo, que iba a dar lustre imperecedero a su apellido, actitud que, en el fondo, no dejó de complacerle por ver que algo había heredado de su carácter aquel hijo "moreno". Comprendió que la humildad de éste —como dice su biógrafo Fr. Salvador Velasco, O. P.—no era humillación, ni deslustraba su nombre, como no deshonró a Cristo la cruz en que murió, y que él, caballero cruzado, ostentaba en el pecho.

Fray Martín consiguió que le dejasen en su vida callada, de sumisa obediencia, barriendo claustros, haciendo cerquillos, en su puesto de donado.

No volvemos a saber más de D. Juan de Porres.

Es decir, sabemos que se casó, en una fecha incierta, más bien tardía, con una dama española, tía de doña Ana Cantero, según testimonio de ésta en el Proceso de 1660 (*Proceso*: pág. 254). Según otros informes, se llamaba dicha dama doña María Aguilar de Avendaño, de la que tuvo cuatro hijos.

Don Juan regresó a España —conforme a otras fuentes— y halló vivo a su padre, el anciano don Martín de Porres, abuelo de nuestro Santo, que murió en 1606.

Según testimonio del Padre Fray Francisco Velasco en el Proceso Apostólico de 1679, don Juan volvió a reconocer, "en el testamento que otorgó a la hora de la muerte" (hacia el 1629) como hijo suyo a Fray Martín. Rasgo de su cristiana nobleza.

Doña Ana Velázquez se nos hunde en la sombra; y no hemos podido hallar dato alguno posterior al ingreso de su hijo en el convento. Cabe conjeturar que su muerte ocurriría hacia el año 1618.

Actividad febril

El convento de Nuestra Señora del Rosario, priorato de la provincia dominicana de San Juan Bautista del Perú, edificado sobre el solar entregado por Pizarro a los Frailes Predicadores y ampliado después en 1540 por el consejo municipal, era un amplio edificio con múltiples dependencias, y hasta espaciosas huertas, cultivadas por servidumbre de color. Los servicios de limpieza y otros similares corrían a cargo de los donados u oblatos, también de ordinario gente de color. Los Hermanos legos o cooperadores, como ahora se les llama, dirigían diversos oficios, tales como el de portería, sastrería, carpintería, caballeriza, lavadero, gallineros, corral, jardines, depósitos, bodegas... A sus órdenes tenían multitud de esclavos (!).

El nuevo oblato, Fray Martín, se sentía dichoso. Sólo le competía en su nueva vida obedecer en lo que le mandaran, sin ninguna otra preocupación. Obedeciendo cumplía la voluntad de Dios.

Al día siguiente de vestir el hábito, se le confirió el "cargo" de la limpieza de la casa: barrer los salones, los claustros, la enfermería, el coro, la iglesia. Se convirtió en un verdadero FRAY ESCOBA.

Al empuñar la escoba, con un poco de imaginación, Fray Martín la transformaba en una cruz y se abrazaba a ella con amor porque se le ofrecía realmente como una cruz, aunque sencilla y ligera. La cruz y la escoba se completaban admirablemente en su vida; las dos formaban en su pecho una sola cruz cuando la abrazaba. La escoba llegaría a ser el instrumento simbólico de su santidad.

Pero la escoba no era el único instrumento empleado por Fray Martín. También manejaba las tijeras de barbero, el bisturí de cirujano y otros. Siempre activo y sereno, todo lo realizaba con insuperable perfección. Se atenía al dicho clásico: "*Haz lo que hagas*", y, por lo mismo, pasaba con la mayor facilidad y naturalidad del esfuerzo físico a otros trabajos delicados y de orden muy superior, y viceversa. Tantos "cargos" se le fueron acumulando, que parecía imposible que un solo hombre pudiese bastar para todos ellos.

Su oficio de barbero le obligó a vérselas con una clientela de cerca de trescientas personas que poblaban el convento de Nuestra Señora del Rosario, parte de las cuales eran en verdad exigentes.

El Padre Fray Francisco Velasco Carabantes testimonió en el proceso apostólico de 1679, que siendo él novicio, fue a la barbería del convento, con más ganas de pasar allí el rato que de hacerse arreglar. Su indecisión tenía por motivo que no le gustaba "lucir" el pobre cerquillo coronario prescrito por la regla.

Entretenido con sus pensamientos, en cierto momento se encontró con la cabeza en las manos de Martín quien, después de bañársela y enjabonársela, se la afeitó, sin dejar más que el cerquillo de rigor. En un arrebato de cólera, se puso de pie y empezó a insultar a Fray Martín, llamándole, entre otras cosas, *perro mulato, hipócrita y farsante*. El sufrido oblato, sin alterarse, como si hubiera oído llover, se limitó a invitarle a verse en el espejo, añadiéndole que podría comprobar que su corona no estaba tan mal hecha como creía.

El Padre Alfonso Gamarra, que se hallaba presente, perfeccionó la operación con un solemne lavado de cabeza, a lo que le daba perfecto derecho su cargo de "celador", e impuso al novicio una penitencia de mechones.

Tanto por esto como por no haberse visto en el espejo tan mal como creía, se calmó Fray Francisco y Martín, poniéndole la mano encima, le dijo:

—Si esta cabecita sigue con esos humos, tendrá que sufrir mucho en la Orden.

Mas la cosa no terminó allí. Fray Martín fue a ver al Padre Maestro de Novicios para rogarle que perdonase a Fray Francisco, puesto que el novicio tenía motivos para decirle lo que le había dicho, toda vez que él era un gran pecador y su madre una mísera negra, por lo que le cuadraba admirablemente el título de "perro mulato".

Aquel mismo día, habiendo obtenido el virtuoso oblato la revocación de la penitencia, Martín le hizo entrega de algunas frutas de aguacate y un melocotón.

Rasgo de sublime abnegación

Un hecho de los primeros años de su vida religiosa viene a darnos la debida medida de la humildad, abnegación y temple de Fray Martín de Porres.

Aunque el convento de Nuestra Señora del Rosario poseía crecidas rentas, los gastos subían mucho y en cierta ocasión se presentó una ineludible necesidad. Apurado el Prior, tomó la decisión de salir a la ciudad para enajenar objetos preciosos y conseguir dinero prestado por ricos comerciantes.

Llegado el caso a conocimiento de Fray Martín, quedó pensativo y en su magín empezó a bullir una heroica idea.

Muchas veces había visto desembarcar en el Callao remesas de negros para ser conducidos al mercado. Viéndolos pasar, Fray Martín leía en sus caras y en sus facciones los malos tratos recibidos de los crueles negreros. Un esclavo joven, de buenas formas como lo era él, vendido en el mercado, valía buena cantidad, probablemente, si había subasta, hasta mil pesos.

Consciente de su valor en venta, y, recordando que Sto. Domingo se había ofrecido a permanecer esclavo de los sarracenos en sustitución del hermano de una pobre viuda, salió en busca del Padre Prior por las calles de Lima.

Habiéndole alcanzado, jadeante, le expuso su idea: que no vendiese los objetos que llevaba consigo, sino a él, que era una carga para el convento, por tratarse de un pobre mulato por quien algún mercader de esclavos podría dar mucho dinero.

El Padre Prior vio de golpe la sublime abnegación del humilde oblato. "Brotándole —dice Meléndez— arroyos de lágrimas" y conteniendo los sollozos, le dijo:

—Váyase, Fray Martín, que lo hemos menester. Ya acudirá Dios al remedio. Vuelva a casa. Usted no es mercancía en venta.

Intensa vida de oración

Si la humildad es la nodriza de las virtudes, la oración es su madre. La relación que establece entre Dios y el alma, abre el camino para conocer y amar el bien y un canal por el que todo lo bueno nos viene del sumo Bien.

No cabe concebir la vida religiosa sin intensa oración, sin pasar por las diversas *moradas* que tan ingeniosamente describe santa Teresa de Jesús. La contemplación es la condición necesaria para el apostolado, pues sólo quien se nutre de oración espiritual puede tener algo que comunicar a sus hermanos los hombres.

Nuestro Santo, por otra parte, estaba en todo momento unido a Dios, ofreciéndole cuanto hacía como continua oración. Se atenía al dicho benedictino y dombosquiano: "Reza y trabaja". Por lo mismo, ya asistiese a enfermos, barriese, pelase, afeitase, velase o durmiese, todos sus pensamientos, actividades y latidos del corazón eran única y exclusivamente para Dios.

Por lo demás, todo el ambiente en que se desenvolvía invitaba a nuestro virtuoso "mulato" a alimentar su espiritualidad. Por todas partes había imágenes sagradas: en los corredores, en los replanos de escaleras, en las paredes de la enfermería, del Capítulo y de las celdas. La Virgen sonreía con el Niño Jesús en brazos; el Santocristo abría los brazos y el corazón, invitando a una íntima unión con Cristo. Y los santos de la Orden parecían repetirle:

"¡Animo, Martín, hermano nuestro! ¿Por qué no has de hacer lo que hicimos nosotros?"

El silencio, ese poderoso auxiliar para estar de continuo en la presencia de Dios, le acompañaba en todas las ocupaciones.

La capilla que más visitaba era la de la Virgen del Rosario. A la Sma. Virgen, su Madre celestial, le contaba todas sus cuitas y la suplicaba ardientemente que no le permitiera cometer pecado alguno.

Muy de mañana se disponía a oír y ayudar a Misa con el mayor recogimiento, sobre todo, en la capilla del Sto. Cristo, fundada por el capitán D Diego de Agüero, uno de los compañeros de Pizarro, cuyo sostenimiento y culto corrían a cargo de sus descendientes.

La llama del fervor que ardía en su espíritu se reavivaba poderosamente por las mañanas y le duraba todo el día.

Al fin de la jornada, terminadas las *Completas*, última hora canónica del Rezo Divino, salían los religiosos del coro; pero Martín se quedaba allí y por su oscura cara resbalaban encendidas lágrimas de amor. Las manos del oblato se cruzaban sobre el pecho, y su hábito se amontonaba lentamente en pliegues sobre el suelo porque el joven se inclinaba más y más con gesto de adoración, escuchando el mudo lenguaje en que le hablaba Cristo desde la cruz.

La nueva entrada de los frailes en el coro para el rezo de Maitines, sacaba de su arrobamiento a Fray Martín.

Devoción a la Sma. Virgen y a la Eucaristía

El amor a la Sma. Virgen era en Martín espontáneo, instintivo. Sus momentos libres, en especial por la noche y durante el silencio de la tarde, los pasaba en la capilla de Nuestra Señora. Ni por casualidad faltaba al Rosario que se rezaba en común, ni al *oficio parvo*, que precedía a los Maitines del Divino Oficio, por la noche. En las mañanas, antes del alba, ya se hallaba invariablemente en el campanario para el toque del *Angelus* (*Ad novas,*

XXXV, p. 37). Y no multiplicaba más las visitas a la capilla de la Virgen por el excesivo trabajo que pesaba sobre él. Según costumbre de los Dominicos de la provincia de San Juan Bautista del Perú, llevaba un gran rosario al cuello y otro pendiente de la cintura, pero éste se hallaba con frecuencia entre sus manos, dejándolo tan sólo cuando debía ocuparlas en cualquier faena (*Ad novas*, V, p. 40).

La Virgen María correspondía al amor de su fiel hijo. Una noche que el humilde oblato se había entretenido mucho con ella, a fin de que Martín no tropezase a causa de la obscuridad, y demostrarle al propio tiempo lo mucho que lo quería, envióle dos ángeles de blanquísima túnica para que le acompañasen hasta el coro alumbrando el trayecto con hachas encendidas (*Positio*, p. 6).

Otra poderosa atracción de Fr. Martín era la Sagrada Eucaristía.

A veces, en vez de orar en la capilla, subía el religioso al sofito de la iglesia, donde había encontrado un rinconcito desde el que contemplar sin que le vieran, el tabernáculo. Allí lo halló cierto día, después de buscarlo infructuosamente por todo el convento, D. Francisco de la Torre, oficial de la guardia, amigo suyo, que pernoctaba en el monasterio. Fray Martín estaba de rodillas, pero extasiado y elevado unos palmos por encima del suelo (*Ad novas*, XLII, p. 4). Los días más memorables para él los eucarísticos: la festividad del Corpus Christi, el tercer domingo de cada mes y los jueves. Cuando el Santísimo estaba expuesto, Fr. Martín pasaba horas enteras, inmovible, ante la custodia. Por su compostura se adivinaba la fe y el amor que abrigaba en su humilde alma.

Los legos comulgaban, de ordinario, en las grandes festividades del Señor y de la Virgen, y los domingos. Fray Martín obtuvo permiso especial para comulgar también los jueves. Con el fin de conciliar su humildad con el vivísimo deseo de unirse al Señor, tomaba como por Viático la comunión de los jueves. Con esto tranquilizaba sus escrúpulos de poder ser demasiado presuntuoso por favor tan singular (*Ad novas*, VI, p. 15).

Cuando se acercaba a la Sagrada Mesa, su expresión se animaba sobremanera, hasta parecer "una brasa encendida". Era el último en salir de la sala capitular y no se le acertaba a ver por parte alguna. ¿Se metía en algún rincón oscuro y se volvía invisible? Tal vez ocurriesen ambas cosas a la vez. Los que lo trataban decían que pasaba horas y más horas dando gracias y que luego se presentaba al superior, cuando éste lo ordenaba, sin que se le viera acudir por parte alguna (*Ad novas*, VI y VII, pág. 15).

Cuando su jornada eucarística transcurría en Limatambo,[1] dejándose ver al oscurecer, se ocupaba en echar de comer a las mulas y a los bueyes de la granja y en cambiar la paja de los pesebres. Si alguien le indicaba que no era aquel trabajo adecuado para él, respondía que los negros habían estado trabajando todo el día mientras que él no había hecho nada.

1 Hacienda o estancia que poseía el convento, finca de recreo y de intenso cultivo de cereales y árboles frutales. Estaba a 2 kilómetros y tenía aspecto de un pequeño pueblo, cuyo centro era la "casa" de los religiosos.

Asombrosas penitencias

Fray Martín estaba convencido de que para hacer grandes progresos en la oración, necesitaba mortificarse. Como santo excepcional, realizaba mortificaciones excepcionales que sobrepasan la capacidad de resistencia de cualquier criatura humana.

El Padre Gaspar Saldaña le ordenó una vez que le dijese la verdad de las versiones que corrían acerca de sus penitencias.

—No sabría —le respondió— qué decirle. El Señor se encargará de dar a conocer alguna vez lo que haya de saberse.

Mas, como quiera que el superior no se conformase con respuesta tan evasiva, el oblato terminó por confesar que, al igual que Sto. Domingo, se disciplinaba tres veces cada noche. Luego le rogó que no le preguntase más (*Positio*, 28).

Por testimonio de Juan Vázquez, una especie de asistente voluntario de Fray Martín, sabemos que éste se daba la primera disciplina en su celda donde se encerraba después del Angelus de la tarde. Durante tres cuartos de hora rezaba y se azotaba con una triple cadena de hierro, erizada con estrellas del mismo metal. Se le hinchaba la piel, que se abría por efecto de los golpes, manando sangre en abundancia por todo el desnudo cuerpo (*Ad novas* CVI, p. 40). Gozaba, sin embargo, viendo salir la sangre de las heridas por saber que sería grata a Dios al ofrecérsela en unión con la derramada por Cristo atado a la columna del pretorio de Pilato. Ante las objeciones de su amigo Juan Vázquez, que le ayudaba a curar las heridas, decía que aquello era provechoso para su salud.

A las doce y cuarto de la noche se aplicaba la segunda disciplina. El instrumento era un cordel con nudos, y el lugar, la sala capitular. Esta segunda disciplina la aplicaba a los pecadores, para reparar sus ofensas y rogar por su retorno a Dios.

Por último, un poco antes del alba, Fray Martín se daba la tercera y más dolorosa disciplina. El lugar elegido era una estancia lóbrega y húmeda que había en el sótano de la torre. Otra vez se quitaba la tosca camisa, arrancándola de las heridas sin cicatrizar.

Tras el doble sufrimiento producido por las dos primeras disciplinas, de las fervorosas oraciones y de una vela nocturna casi ininterrumpida, Martín no se fiaba de sus músculos y, por lo mismo, pedía a veces la colaboración del joven Vázquez o de algún otro beneficiado suyo, indio o negro, a quienes encargaba que le pegasen sin ninguna compasión. De esta forma, el suplicio resultaba doblemente humillante y doloroso. Por tratarse de mozos robustos, siempre dispuestos a complacer al amigo, sin pararse a considerar ciertos "gustos", se ejercitaban muy a lo vivo en aquella gimnasia matinal.

Mientras en la oscuridad del calabozo se abrían las heridas con los golpes, Fray Martín pensaba en las almas del Purgatorio, por quienes ofrecía la tremenda mortificación. Tal vez las almas que en aquellos momentos pasaban de las tinieblas a la luz del reino celestial, saludasen enternecidas a la Reina de los Angeles y le presentasen los méritos del virtuoso Fraile moreno (*Ad novas*, XV, IX, VII, XXII, págs. 86-88 y LIII, pág. 91).

Al despuntar el nuevo día, después de haber saboreado las inefables dulzuras de la unión en el dolor, repetiría su alma: "*Lo encontré, nunca lo alcancé*". Luego reemprendía sus ocupaciones habituales, sin apartar un momento de su mente el objeto de su amor. "De él podría decirse —observa el P. Agustín de Valverde— lo que se lee de San Martín, obispo de Tours: *nunca descansaba su espíritu en la oración,* por haber sabido unir la actividad de Marta con la contemplación de María" (*Ad novas* XXIII, pág. 39).

Pero las mortificaciones de Fray Martín no se reducían a las horas de la noche. Primeramente, llevaba de continuo un cilicio y se ceñía con gruesa cadena de hierro, yendo en varias ocasiones a disciplinarse en la soledad de Limatambo (*Ad novas,* LIX, p. 87). Además, a los ayunos ordenados por la Iglesia y las constituciones de la Orden, añadía otros por motivo de especiales devociones suyas, así es que, prácticamente, ayunaba todo el año. Al decir de su compañero oblato, Francisco de Sta. Fe, para el siervo de Dios todos los días eran de ayuno riguroso. Nos daremos cuenta de cómo eran sus ayunos, conociendo en qué consistían las comidas que hacía en los días festivos. Tras una cuaresma ayunada a pan y agua y la abstinencia total de alimentos en los últimos días de la Semana Santa, el Domingo de Resurrección "como gran regalo, comía algunas raíces de las llamadas *camotes,* el pan de los negros. El segundo día de Pascua tomaba un guisado y algo de berzas, sin nada de carne" (Ad **novas, XII**, p. 89).

Especiales favores divinos

Fray Martín era muy generoso con el Señor, pero el Señor no lo era menos con él. Tanta era la dulzura que probaba su alma, que se veía obligado a repetir: "¡Cuán suave es el yugo de Dios y qué digno de ser amado!" (*Ad novas*, I, p. 88).

Hacía poco que Juan Vázquez estaba en el convento de Nuestra Señora del Rosario, cuando una noche, hacia las once, le despertó una fuerte sacudida de manera de terremoto. Lleno de espanto, se tiró de la cama y corrió a llamar a Fray Martín. Grande fue su estupor viendo iluminada la celda del siervo de Dios y a éste tendido boca abajo en forma de cruz, con el rosario en la mano. Casi fuera de sí, gritó a su amigo que se levantara porque la celda iba a derribarse sobre él.

Las paredes oscilaban y crujían las vigas. Juan Vázquez estaba para enloquecer. Tomó su ropa, se precipitó en el claustro y, mientras se vestía, vio al oblato Fray Miguel de Sto. Domingo, a quien informó de la luz que envolvía a Fray Martín y del peligro que corría.

—Sí, lo creo —le respondió Fray Miguel—; todo cabe tratándose de Fray Martín.

Sin embargo, para complacer a su compañero, se dirigieron ambos a la celda de Fray Martín, que todavía se hallaba sumergido en la extraña luz, mientras las paredes habían vuelto a su inmovilidad y el edificio aparecía más firme y sólido que nunca. Con el fin de tranquilizar al muchacho, Fr. Miguel se lo llevó consigo y le preparó una especie de cama en su celda.

A la mañana siguiente, habiendo vuelto a la celda de Fray Martín, dijo éste a Vázquez:

—Procura no hacer comentarios sobre lo que hayas podido ver aquí dentro. Pasó porque presencies algo extraordinario que pueda suceder, pero no te permitiré que lo vayas divulgando luego a diestro y siniestro (*Ad novas*, XXX, p. 36).

Martín tenía que dedicar cierto tiempo en visitar a los enfermos durante la noche cuando había alguno que necesitase sus cuidados.

Había en el convento una escalera casi impracticable, muy estropeada a fuerza de permanecer sin uso. Para impedir alguna posible caída, en cierto tramo se había obstruido el paso. Pero Fray Martín notó que por allí se acortaba bastante la distancia para ir a la enfermería y no dejó de utilizarla por las noches.

Una de ellas, cargado con ropa blanca para los enfermos, se le presentó en la citada escalera un monstruo de figura humana que interceptaba el paso y daba muestras por su mirada de un odio y mal indecibles.

No había que ser muy linces para saber que se trataba del demonio.

—¿Qué haces tú aquí maldito? —le preguntó Fray Martín.

—He venido porque me gusta el lugar y puedo conseguir alguna ganancia.

—¡Vete a tus malditas cavernas! —le replicó el Santo.

El demonio no se movió, pero Fray Martín, que no quería perder tiempo en vanas discusiones, dejó en el suelo el brasero encendido y la ropa que llevaba para los enfermos, se quitó el cinto de cuero y empezó a correazos con el monstruo infernal, que desapareció.

Claro es que a los demonios, por ser espíritus, no les pueden causar ningún daño los golpes; pero desapareció el maligno por saber que con Fray Martín no iba a conseguir nada práctico. El Santo sacó entonces un carbón del brasero, trazó una cruz en la pared y se puso a rezar de rodillas, dando gracias al Señor por la victoria que acababa de proproporcionarle (*Procesos* 1660, cc. 496-7).

Otro asalto del demonio

A Satanás no podían agradarle los progresos que Fray Martín hacía en la virtud, y por eso se oponía al Santo bajo diversas formas y diferentes aspectos.

Lo más sensible en la vida de los Santos es la envidia que con frecuencia despiertan sus virtudes en los "buenos". No parece que Fray Martín probase los dolorosos alfileretazos que esto supone, pues cuando alguien le dirigía palabras injuriosas, no lo hacía por envidia, sino más bien llevado en momentos de arrebato por orgullo racial. Nuestro Santo no sufría por ello, pues encontraba tales palabras conformes a la verdad. Los superiores y hermanos en religión de Fray Martín, una vez que empezó a correrse la voz de sus méritos y virtudes, ejercieron el derecho y el deber de probar si eran de buena ley.

Habiendo dado dichas pruebas resultados positivos y satisfactorios, los Dominicos del convento de Nuestra Señora del Rosario, que había sido la sede de la primera universidad americana, y podían considerarse como aristócratas del pensamiento y de la cultura, no tuvieron inconveniente en decir que el "mulato" era un Santo.

Esto quedó confirmado al admitirse un hecho sorprendente que, según testimonio fehaciente de Fray Francisco Velasco Carabantes, refirió y comentó el Padre Andrés de Lisón a un grupo de novicios y profesos de la Orden (*Ad novas*, VII, p. 96).

He aquí el hecho en cuestión.

Una noche sostuvo nuestro Santo una lucha a muerte con el demonio, pero no en la escalera de la enfermería, sino en su misma celda. Y esta vez no se hallaba solo, sino en compañía de D. Francisco de la Torre, el mismo oficial que lo había sorprendido extasiado en el sofito de la iglesia, según hemos indicado, y que desde hacía dos meses compartía la celda de Fray Martín, ocupando una especie de alcoba que había en la misma.

Francisco estaba para acostarse cuando notó que se abría de pronto la puerta de la celda y que el Santo decía en tono airado:

—¿Qué has venido a hacer por aquí, fullero y embrollón? ¡Esta no es tu habitación, así es que largo de aquí!

Pero el diablo no debía ir solo, sino con una banda de secuaces o una legión de demonios, como en el país de los gerasenos, en tiempos de Jesucristo, y no quiso marcharse. Agarraron a Fray Martín y empezaron a sacudirlo furiosamente.

Francisco de la Torre quiso enterarse de qué se trataba y asomó la cabeza desde su alcoba, viendo entonces al Santo rodar por el suelo y lanzado una y más veces contra las paredes. Le vio arrollado y le oyó gemir ante los golpes que recibía de sus adversarios, si bien estos eran invisibles para él.

En cierto momento la celda empezó a arder y entre ambos lograron dominar el fuego.

Luego todo quedó como antes en completa paz. Francisco se metió en su cama y Fray Martín se tendió en la suya, hecha de palos con una estera por colchón.

Cuando, según costumbre, se levantó el Santo a las tres de la madrugada para ir a tocar el *Angelus,* dejando una vela encendida con que pudiera alumbrarse Francisco, éste saltó del lecho deseoso de comprobar el mal que hubieran podido hacer las llamas.

Con harta sorpresa, vio que estaban intactos los armarios y las paredes, sin vestigio alguno del fuego, y que la ropa blanca no aparecía nada ahumada (*Ad novas,* XLII, pp. 96-7).

Ya maduro para la religión, Fray Martín iba a entrar de lleno y por la puerta grande, en el seno de la comunidad dominicana del convento de Nuestra Señora del Rosario, en donde vamos a seguirle viendo cómo se desenvolvía su vida de heroicidad, de portentos y de admirable correspondencia a los designios de Dios.

III. PROFESO DOMINICO

La profesión religiosa

Al principio, el mulatillo hijo de D. Juan de Porres y de la negra Ana Velázquez, sólo anhelaba hallarse en el ambiente conventual de los Dominicos ocupando el lugar más humilde, sin aspirar al honor de ser religioso profeso. Sin embargo, esta era su vocación y en su interior ardía en ansias de ligarse a Dios y a la Orden por toda la vida con los correspondientes votos, aun sin darlo a entender así.

Mas todo llega a buen término cuando se pone en las manos de Dios y nos confiamos a su Providencia.

En nueve años de permanencia en el convento, nuestro Santo ha aprendido muchas cosas que antes ignoraba de la vida religiosa, y los superiores han llegado al convencimiento de que el humilde oblato es una verdadera joya y hombre con méritos más que suficientes para formar parte de la comunidad, en pie de igualdad con los demás hermanos cooperadores y unir el destino de su vida a Dios y a la Orden Dominicana mediante la emisión de votos de pobreza voluntaria, castidad y obediencia.

Fray Martín es por estas fechas un hombre hecho y derecho. Ha crecido y se ha desarrollado físicamente hasta hacerse un buen mozo de facciones regulares con aire de graciosa serenidad y porte sencillo, que se transparenta en los modales de un talle alto y bien configurado —según nos lo dice el P. Salvador Velasco en su "S. Martín de Porres". Espiritualmente, era un religioso obediente, caritativo, muy piadoso, íntimamente unido a Dios en la oración.

El consejo provincial, apreciando los extraordinarios méritos del humilde religioso, decidió darle la profesión, admitiéndole plenamente en la Orden, aunque su hábito fuese el de donado.

La profesión religiosa se efectuó el 2 de junio de 1603. Es este un acto similar a la ceremonia en la que dos personas de distinto sexo que se aman se entregan la una a la otra, manifestando esa voluntad ante el ministro del Señor. En la profesión religiosa, la Iglesia acepta la donación en nombre de Cristo, su Esposo y promete al donante un divino intercambio.

Fray Martín había notado la falta de esta aceptación solemne por parte de la Iglesia y de la Orden durante su largo noviciado, pero nunca dijo nada porque tal deseo parecíale verdadera presunción. Mas, una vez que sus superiores le invitaron a dar aquel paso, no pudo disimular su alegría y la dicha que le embargaba.

El acto se desarrolló en la forma habitual, presidiéndolo el Padre Provincial, Fray Juan de Lorenzana. El mulato pronunció la fórmula de profesión bien aprendida de memoria, por estar en latín. Sus palabras resonaron claramente, sin nada protocolario, pareciendo que en cada una de ellas volcaba su alma, deseosa de entrega.

Después añadió en tono de súplica:

—Recíbeme, Señor, según tu palabra, y viviré. Y no me confundas en mi esperanza.

La comunidad cantó entonces de rodillas la primera estrofa del *Veni Creator*: Ven, Creador Espíritu, - visita nuestras almas - e inflama nuestros pechos - con el don de tu gracia . . .

"Acabado el himno —copiamos de "San Martín de Porres", de Fr. Salvador Velasco— el Padre Maestro de los Hermanos Cooperadores (nuevo rango alcanzado por nuestro Santo) da una palmada y Fr. Martín se levanta. Por largo espacio queda Fr. Martín suplicando a Jesús le haga digno de vivir conforme a la dignidad con que le ha honrado. Quiere ser holocausto de amor a Dios y de sacrificio en provecho de sus prójimos, que son, primero, sus hermanos del convento, y después, cuantos vaya encontrando en su camino . . .

"Su profesión es una donación perfecta . . . Con ella empezaba plenamente su vida de Hermano Cooperador, modelo para todos los demás en el cumplimiento del deber, enseñando el secreto de transformar los diversos oficios en medio de santificación, como se irá viendo en las páginas siguientes".

El voto de pobreza

Nada cambió exteriormente con la profesión en la vida de Fray Martín. El cambio fue, en todo caso, interior, espiritual. Con el sello de la estabilidad, su alma se dilató y encontró en sí misma un nuevo impulso para progresar dentro del fiel cumplimiento de sus obligaciones para con Dios y el prójimo.

"Su vida fue un espejo viviente de toda la religión, modelo de piedad, ideal perfecto de observancia regular" (*Positio*, p. 7). Fray Laureano de Sanctis añade: "Fue muy observante en el cumplimiento de los tres votos esenciales . . . y de las constituciones de la Orden, de tal manera que nunca se le vio faltar" (*Ibid.*, p. 9).

Hizo su pan diario de las virtudes de los tres votos religiosos.

Su modo de vestir satisfacía al mismo tiempo las exigencias de la pobreza, de la humildad y de la mortificación. Además de no poseer nada como suyo —deber elemental del voto de pobreza—, Fray Martín no usó nunca objeto ni prendas nuevas: todo su vestuario era de segundas manos. Mas, para no despertar demasiada estimación, aseguraba que prefería lo usado porque así no necesitaba tanto miramiento como si hubiese sido nuevo.

Los hábitos eran siempre de la tela más burda, pero una vez tomado uno, lo tenía en uso hasta que se le caía a pedazos después de remendarlo hasta lo inverosímil. Sólo se desprendía de él cuando le traicionaba dejando ver la ropa interior de saco y el cilicio de crin de caballo (*Ad novas*, XXXV, pág. 101).

Su hermana Juana probó un día a regalarle un hábito nuevo que le sirviera de recambio mientras se lavaba el que llevaba puesto.

—¿Para qué? —le respondió—. Cuando me lavo el hábito, se seca en poco tiempo y si me lavo la ropa interior, puedo esperar a que se seque llevando sólo el hábito. Sería superfluo tener dos.

De esta forma rehusó el regalo de Juana.

Tenía un sombrero viejo, muy viejo, pero pareciéndole demasiada delicadeza ponérselo para resguardar su cabeza del sol ecuatorial, lo llevaba sujeto al cuello por unas cintas y lo dejaba caer sobre la espalda.

Nunca estrenaba calzado, sino que lo heredaba de otros hermanos. Su principal proveedor en este artículo era el Padre Fray Juan Fernández, pero como éste, al decir de sus contemporáneos, era un religioso de vida ejemplar y de buenas costumbres, que debía practicar de manera ejemplar la santa pobreza, no es de suponer que se desprendiera de su calzado hasta no haberlo apurado mucho (*Proceso* 1660, c. 293; *Ad novas,* XXXV, p. 101).

No tenía celda individual. La que utilizaba era la de la enfermería, donde se hallaba su célebre cama: un catre de palos con una estera o piel de borrego y por almohada un pedazo de tronco de árbol; y por todo adorno, una cruz de madera y una tosca imagen de la Virgen y de Sto. Domingo.

De lo que ganaba con la profesión médica, no tocaba ni un solo maravedí, cosa a la que ya estaba puesto antes de entrar en el convento (*Ad novas* I, p. 102).

En cierto tiempo de su vida, las instituciones caritativas creadas por él hacían afluir gran cantidad de limosnas de toda Lima, constituyendo una especie de banco de la caridad. También entonces siguió completamente pobre. El dinero pasaba por sus manos como el agua por un cauce de cemento en pendiente, sin dejar nada en ellas.

Semejante amor a la pobreza era más de admirar en aquellos tiempos del siglo XVI, en que varios frailes interpretaban a su manera ese voto religioso, y no como en un principio de las Ordenes monásticas y ahora, que los religiosos dan cuanto pueden a la comunidad y reciben de ella según sus necesidades, teniéndolas igualmente cubiertas el predicador más afamado como el más humilde coadjutor, cooperador o lego.

En tiempos de nuestro Santo, cada religioso podía proveer por su cuenta a las propias necesidades, permitiéndosele disponer de todo o parte de lo que ganaba en su actividad. Fray Martín amó la pobreza en toda su integridad, como la había amado santo Domingo, cual si hubiese vivido en el siglo XIII y no en el XVI.

El voto de castidad

La pobreza aleja los obstáculos que se presentan al alma para mantenerse pura y siempre dispuesta para la acción de la divina gracia.

En nuestro Fray Martín, la pobreza fue preludio de la más limpia castidad.

Todos los testimonios están de acuerdo en afirmar que conservó intacta la virginidad hasta la muerte. Sentía un amor tan profundo a la belleza espiritual del alma, que no reparaba en medios para guardarla y acrecentarla.

A tal fin, sabía valerse de modo admirable de la confesión. A veces parece sorprender que los Santos sean tan asiduos del confesionario. Pero se ha de tener en cuenta que quien asciende a la santidad ve mejor que nadie la belleza de la meta y percibe con ojo avizor las menores desviaciones y los pasos en falso por el camino recto de la perfección que a ella conduce.

Fray Martín afinaba y hacía más esplendoroso el candor de su alma por medio del sacramento de la Confesión. Y cuando la pureza más absoluta fue para él el clima habitual, la convirtió en el instrumento de mayor eficacia en su apostolado.

En los corredores de su convento, en las soleadas calles de Lima, junto al lecho de los enfermos y entre los pobres que acudían por comida a la puerta de Fray Martín custodiaba el tesoro de su virginidad, esparciendo el perfume de la bella virtud y comunicando el gusto por las cosas de Dios entre todos cuantos le trataban.

"No hubo en él gesto, movimiento o palabra que no pusiera de manifiesto la pureza de su corazón"; su aspecto irradiaba una gracia que "excitaba a devoción, y con sólo verle, se aliviaban los afligidos" (*Ad novas,* XXIII y XLIX, p. 100).

El voto de obediencia

La pobreza y la castidad se habían dado la mano en la vida de Fray Martín y facilitaron el cumplimiento, en grado heroico, de la tercera y más importante virtud de la vida religiosa, la obediencia.

Nuestro Santo sabía muy bien que la obediencia es la tercera columna sobre la que descansa el edificio del alma religiosa, y se aplicó con denuedo y todo entusiasmo al más fiel cumplimiento de este voto tan difícil de guardar.

El voto de obediencia compendia todas las obligaciones de la vida religiosa. Por él se entrega el religioso a Dios como en un holocausto perpetuo, consumado día a día por medio de la adhesión de la propia voluntad, que es lo más precioso del hombre, a la del superior, legítimo representante de Dios.

Esta virtud se manifestaba en San Martín de Porres por un respeto, rayano en veneración, hacia los superiores y toda autoridad, civil o religiosa, por saber que ésta procede de Dios. No solamente obedecía —como lo afirma el Padre Antonio de Morales— sino que inducía a otros a la obediencia (*Ad novas*, I, p. 81).

Además de no lamentarse de ninguna orden —así lo atestiguó el Padre Andrés Martínez— procuraba adivinar los deseos del superior para cumplirlos (*Positio*, n. 10, págs. 16). "Cumplió el voto de obediencia —afirmó el lego Fray Santiago Acuña— con voluntad pronta y alegre" (*Ad novas*, XXIV, p. 105).

La obediencia es la virtud de los fuertes porque ejerce su dominio sobre la libre voluntad. El Padre Fray Francisco Velasco Carabantes atestigua de Fray Martín que "se entregó a obedecer con toda alegría y ánimo, prudencia, constancia y profunda humildad . . . que el Siervo de Dios no era nada para sí, sino todo para la religión y para quienes le mandaran algo, sin que nada se opusiera en él a esta virtud" (*Ad novas*, VII, p. 82).

Otro aspecto simpático de la obediencia de Fray Martín fue —según sus contemporáneos— la sencilla continuidad y la sobriedad con que la cumplió.

Fray Martín no vaciló jamás en obedecer. Su constancia y larga perseverancia son su mejor elogio. No sólo obedeció cuando le mandaron barrer los claustros y desempeñar los oficios más bajos y fatigosos, a la par que otros delicados, sino hasta cuando se le ordenó hacer algo que repugnaba a su humildad, como en ocasión de servirse el P. Saldaña de la santa obediencia para que le confesara las penitencias nocturnas que practicaba.

Digno de mención es el siguiente caso de obediencia:

Fray Martín cayó una vez enfermo, cosa que le ocurría con cierta frecuencia, aunque no hacía caso. Por el invierno sufría fiebres cuartanas, pero no por eso abandonaba sus ocupaciones habituales. Sólo se metía en cama cuando no podía mantenerse en pie. Pero su lecho no era muy a propósito para procurarle descanso.

Su dosis de humorismo le servía para salirse "con la suya" sin quebrantar la debida obediencia, según se desprende del relato del "caso" hecho por Fray Antonio de Estrada.

Estando muy enfermo —dice— de unas cuartanas muy rigurosas que el siervo de Dios padecía todos los años por el invierno, al ver que no tenía cama en qué dormir, pues era unas pieles de carnero y una frazada muy pobre, sin más abrigo, le mandó el Padre Provincial Fray Luis de Bilbao que "bajo obediencia" echase sábanas en la cama. El siervo de Dios replicó con mucha humildad:

—¿A un perro mulato, que en el siglo no tuviera qué comer ni en qué dormir, manda Vuestra Paternidad que se acueste entre sábanas? Por amor de Dios, que Vuestra Paternidad no me lo permita.

Mas el Padre Provincial, en atención a su enfermedad, se lo volvió a mandar.

Acontecía esto a las siete de la tarde.

Al día siguiente volvieron el Padre Estrada y el Provincial a la celda de Fray Martín. Y vieron que estaba con sábanas, conforme a lo mandado. El Padre Provincial le dijo:

—Fray Martín, me alegro de que me haya obedecido.

Y se salieron de nuevo.

Ya fuera, le dijo el Padre Antonio al Provincial:

—Vuestra Paternidad estará creído que Fray Martín está desnudo entre las sábanas. Pues está vestido, sin que ellas le sirvan de ningún alivio.

Al oír esto, entró de nuevo. Descubrió la cama, y "hallaron que estaba vestido y calzado de la misma suerte que andaba por el convento".

Al Padre Provincial no le hizo mucha gracia, y le preguntó:

—Fray Martín, ¿cómo ha hecho esto?

El, riéndose, replicó:

—Padre, para un perro mulato es muy sobrado regalo. Pero he cumplido con la obediencia, que me he puesto sábanas.

Los dos salieron mirándose uno a otro.

En otra circunstancia parecida, burló también al Padre Prior Fray Juan de Zárate; quien, al saber la jugarreta del mulato, replicó a los que fueron a decírselo:

—Dejadle, que es teólogo místico.

Como diciendo: El sabe lo que hace (*Proceso*: págs. 204-205, 220).

Los maestros de novicios y de profesos lo proponían a sus alumnos como modelo de obediencia y de enajenación de la propia voluntad (*Ad novas*, p. 130 y V, p. 85; *Positio*, p. 6).

Para terminar el punto relativo a la obediencia de San Martín y el presente capítulo, referiremos otro hecho de gran relieve en que lucharon denodadamente la humildad y la obediencia de nuestro

Santo. Tomamos la redacción de la obra citada de Fray Salvador de Velasco, pág. 222-25).

El obispo de la Paz, D. Feliciano Vega, camino de México, para cuya sede había sido nombrado Arzobispo, se vio afectado de un catarro pulmonar a su paso por Lima.

Pensó el Excmo. Señor que sería cosa de una semana o poco más el reponerse de su dolencia. Mas el ilustre enfermo, en vez de mejorar, se fue agravando de manera tan alarmante que los médicos le advirtieron que se preparase a bien morir.

Aceptó el virtuoso prelado la divina voluntad. Hizo testamento y a continuación mandó a sus familiares que dispusieran las cosas para recibir los Sacramentos.

Todo, pues, en palacio era movimiento de pasos apagados y en silencio para no molestar al enfermo. En su alcoba sólo había las personas indispensables para atenderle. Y junto a la misma cama se hallaba el Padre Fray Cipriano de Medina, que le asistía por expresa voluntad de los superiores, pues era sobrino del prelado. Por estas fechas era ya catedrático en el convento.

Se hallaba, pues, acongojado por la triste separación de su amado tío, mucho más larga y definitiva de lo que poco tiempo antes había imaginado.

De pronto, en el hondo silencio de la habitación, exclama, como inspirado:

—¿Cómo Vuestra Señoría no ha mandado llamar al hermano Fray Martín de Porres? A buen seguro que le hubiera sanado y no habría llegado a tanto la fuerza del achaque.

Iluminóse el rostro flaco y descolorido del enfermo como un rayo de esperanza y respondió con voz débil, pero lleno de fe:

—Tiene razón. Vaya sobrino, al convento y dígale al Provincial que me envíe al hermano Fray Martín.

—En llegando él —dice el Padre Medina, como dándole instrucciones— mándele Vuestra Señoría poner la mano donde padece el dolor, y verá cómo le sana; que la experiencia que en el convento se tiene de los prodigios que obra el Señor por sus manos me da tanta confianza.

Y salió. Expuso al Padre Provincial, Fray Luis de La Raga, en pocas y atropelladas palabras, el deseo del señor Arzobispo, su tío, y el Padre dio orden inmediatamente de que buscasen a Fray Martín. Pero no le encontraban. Al cabo de un rato viene un donado jovencito diciendo:

—Hoy Fray Martín es invisible, porque le he visto comulgar.

Al oírlo el Padre Cipriano, que paseaba nervioso por la sacristía, se acercó al Padre Luis:

—Padre, mande Vuestra Paternidad al hermano Fray Martín que comparezca al instante, y verá con qué facilidad le obedece.

Así lo hizo el Provincial con tono solemne. Al momennto de intimar el precepto, entra el donado, sencillo, como si sólo hubiese estado a unos pasos de aquel lugar. Inmediatamente le mandan que vaya al palacio del Arzobispo y que le obedezca como a Prelado propio.

Pronto llegó a oídos del enfermo la grata noticia de que Fray Martín se acercaba, y la habitación se llenó de numeroso personal: familiares, domésticos, amigos, médicos, caballeros y damas.

Nada más entrar el mulato, comenzó el Prelado a reñirle con cierta dureza por su tardanza, que probaba el poco deseo que tenía de visitarle.

Ante aquellas palabras, el religioso postróse en venia, con admiración de todos los presentes, y así estuvo hasta que el Arzobispo dio una palmada. Mandóle el Prelado que le diese la mano. Pero al notar que todas las miradas estaban fijas en él, una oleada de rubor le subió a su negro rostro. Trataba de excusarse, ocultando las manos bajo el escapulario, diciendo:

—¿Para qué quiere, señor, un Príncipe, la mano de este pobre mulato?

A fin de vencer su recato y humildad, le atajó el enfermo con tono algo seco:

—¿No se os ha mandado, hermano Fray Martín, que me obedezcáis como si yo fuese vuestro propio Prelado? ¿No sabéis que es más del gusto de Dios la obediencia rendida que el sacrificio voluntario?

—Así es, señor —responde él, bajando la cabeza.

—Pues dadme la mano, y ponedla en este lado, donde me aprieta el dolor.

Aún trató de excusarse con humildes súplicas, pero cedió al fin. Y el Arzobispo cogióle su mano y apresuradamente se la puso al costado. Se la tuvo puesta unos momentos, apretándola con fuerza y devoción, mientras el siervo de Dios, avergonzado, tenía los ojos fijos en el suelo. Después el enfermo retiróla suavemente, fijando agradecido, su mirada en Fray Martín, y dio unos respiros profundos y largos de alivio. Sentíase ya completamente bueno.

Don Feliciano le obligó a pasar —lleno de gratitud— todo el día en su casa; mandó, además, un recado al Padre Provincial, pidiéndole muy encarecidamente que le permitiese llevarle consigo a México. Agradeció Fray Martín mucho tal idea, porque allí tendría modo más fácil de pasar a Filipinas y a China y al Japón, para desplegar su celo misionero (*Proceso*, pág. 317).

Cuando lleno de ilusiones se hacía estos planes, los vino a cortar en seco una negativa del Padre Provincial, diciendo que el mulato era de todo punto indispensable en el convento.

El Prelado conformóse con tenerlo consigo todo el tiempo que le fue posible, abrumándole de atenciones, que los familiares, pajes y servidumbre imitaban.

* * *

Fray Martín volvió a su convento sin demora. La humildad que se había visto forzada a ceder a la obediencia, quiso salir por sus fueros recordándole que era preciso limpiar "ciertos lugares comunes". Fue entonces cuando, encontrándolo un hermano ocupado en tan bajo e ingrato menester y sabiendo los deseos del Sr. Arzobispo electo de México de llevarlo consigo, le dijo:

—Fray Martín, ¿no os convendría más estar en el palacio del señor Arzobispo de México?

Nuestro Santo le respondió entonces con las palabras del salmista: *Elegí ser el último en la casa de mi Dios*. Y añadió casi parafraseando otro versículo del mismo salmo: "Padre Fray Juan, estimo más un momento de los que empleo en este ejercicio que muchos días en el palacio arzobispal" (*Ad novas*, IX, pp. 104-5).

Cuando Fray Martín dio esta respuesta no era ya ningún joven: se hallaba en el último año de su vida. Fue un testimonio más de que había realizado día a día el programa elegido en su juventud: buscar la humildad en la casa de la obediencia por amor a Jesús, que fue humilde y obediente hasta la muerte.

IV. SERVICIO Y SACRIFICIO

Enfermero ideal

Después de profesar, Fray Martín pasó a ocupar el puesto de enfermero "jefe" del convento de Nuestra Señora del Rosario, donde había muchos enfermeros, el más notable, el P. Fray Fernando Aragonés, que nos dejó referenciados muchos pormenores de la vida de nuestro Santo.

Como hábil cirujano y entendedor de medicina y farmacia, nadie tan indicado como el nuevo profeso para estar al frente de la enfermería. Pero sobre sus conocimientos médicos y farmacéuticos estaban sus cualidades morales y éstas fueron las que indujeron al Padre Fray Francisco Vega para confiarle tan delicado cargo. El ser enfermero de una comunidad tan numerosa como la del convento dominicano de Lima, requería mucha paciencia, constante mansedumbre, amor a toda prueba, sacrificio continuo y una sublime abnegación. Nadie como Fray Martín tenía semejantes condiciones en grado tan intenso.

Y no decepcionó, ciertamente, las esperanzas puestas en él, sirviéndole el cargo para desplegar sus excepcionales cualidades y generosa entrega a Dios y al prójimo.

Con gran frecuencia iba de celda en celda visitando uno por uno a los enfermos, para quienes siempre tenía en los labios un saludo jovial que inspiraba gran confianza.

—¿Qué han menester —decía— los siervos de Dios?

Y cada cual le exponía su necesidad o aflicción.

El primer consuelo que proporcionaba era su expresión sonriente y tranquilizadora. Nunca decía: "Espere un momento" o "vengo en seguida". En cuanto alguien le necesitaba, veía a su lado a Fray Martín, como si éste no hubiese tenido otra cosa que hacer (*Ad novas,* LV, p. 58).

El Padre Fray Cristóbal de San Juan hace una descripción impresionante de la caridad de nuestro Santo para con los enfermos:

"A los religiosos enfermos les servía de rodillas; y estaba de esta suerte asistiéndoles de noche a sus cabeceras ocho y quince días, conforme a las necesidades en que les veía estar, levantándoles, acostándoles y limpiándoles, aunque se tratase de las más asquerosas enfermedades" (*Proceso,* p. 100).

Los enfermos no salían de su asombro al comprobar la puntualidad y desvelo con que el Santo les servía a todas horas de la noche, sin saber cuándo dormía; y cuando algún religioso iba a visitarlos, como, por ejemplo, el P. Andrés López de Ortega, le referían todo esto de Fray Martín (*Proceso,* p. 200).

Aún habría sido mayor su asombro sabiendo que las constantes atenciones con ellos no le impedían cumplir todos los demás oficios de barbero, cirujano y ropero, que ejercía con tanta habilidad, prontitud y cuidado —dice el P. Fray

Fernando Aragonés— sin embarazarse en nada, que era cosa de admiración. Y era que como tenía el siervo de Dios a Dios en su alma, eran todos efectos de su divina gracia (*Proceso*, p. 127).

En el providencial enfermero empezó a notarse un fenómeno muy extraño: Fray Martín distinguía claramente cuándo necesitaba un enfermo de sus cuidados, realmente; cuándo se hallaba en trance de muerte y cuándo se trataba de una simple aprensión sin importancia. Cabe afirmar que en esto comenzó la actividad del Santo a ser un continuo milagro.

A este propósito refiere el P. Fray Alonso de Arenas, que habiéndole buscado en cierta ocasión para un enfermo, le preguntó:

—Fray Martín, ¿dónde habéis andado, Pues os iba buscando para atender a este enfermo.

El respondió:

—Váyase, hermano, que ese Padre que dice está necesitado, no tiene necesidad.

El mismo Padre Fray Alonso de Arenas Añano cuenta otro suceso que le relató el P. Fray Antonio de Olmedo:

Hallándose éste una noche a deshoras en su celda cerrada por dentro, con grave accidente de dolor de riñones, oyó que llamaban a la puerta.

—¿Quién es? —preguntó quejumbrosamente.

—Abra, Padre —respondieron desde fuera.

Conoció en la voz que era Fray Martín. Como pudo, se arrastró hasta la puerta y la abrió. Entró el Santo con unas claras de huevos en un plato mezcladas con vinagre.

—¿Para qué son? —preguntó.

—Para curarle su dolencia.

Efectivamente le aplicó la cura y le dejó aliviado.

El enfermo quedó perplejo por la inesperada entrada del enfermero, que había conocido su repentino mal.

Expresivo es el caso que refiere Fray Hernando de Valdés, de sí mismo:

Hallábame enfermo de una gravísima enfermedad de tabardillo —tifus exantemático— hasta el extremo de deshauciarme los médicos y estar oleado y con el alma encomendada.

Entró en esto Fray Martín y empecé lamentarme con sentimiento y mimo:

—¡Gracias a Dios que se ha dignado venir a visitarme! ¿Es posible, hermano, que tenga tan poca caridad que se pasen los días sin verme, estando tan malo y en tanto riesgo?

Fray Martín, sonriendo replicó:

—Sabía yo, chiquito, que no os habíais de morir, y por eso no os visitaba. Y así no me daba nada de vuestra enfermedad. Porque *cuando yo visito mucho a un enfermo, es cierto que se muere y no tiene remedio* (*Proceso*, p. 170).

* * *

Cierto día fue nuestro Santo en compañía de su íntimo Fray Fernando Aragonés a visitar al Padre Fray Fernando de Valdés, sacramentado y con las "tablas a la puerta". Sus padres, presentes, le lloraban ya como muerto.

Fray Martín le tomó el pulso, y no lo halló, por tenerlo la fiebre dementado.

Fray Fernando Aragonés salió con él de la celda y le preguntó:

—¿Qué le parece este enfermo?

—Malo está —respondió él.

—¿Por qué no dice que está muy malo?

—¿Ve que está muy malo? Pues no ha de morir —replicó.

—Buenas nuevas serán para sus padres —contestó aquél.

Y Fray Martín le rogó:

—No digáis nada; nada digáis que yo hablé palabra acerca de esto. Dejadlo al tiempo, que breve será.

Llegó el doctor, le mandó sangrar y purgar, y sin más medicina, curó el enfermo.

No fue este, sin embargo, el diagnóstico sobre el Padre Fray Lorenzo de Pareja, que andaba de pie, quejándose de sus achaques. Al verlo Fray Martín, dijo a Fray Fernando:

—Este viejo ha de morir muy aprisa.

Y mandó que le visitase el médico. Este ordenó que le administrasen los Sacramentos.

Enterado el enfermo de lo dicho por el doctor, para convencerse a sí mismo de que no estaba tan en peligro de muerte, "pidió vestir y se vistió y se sentó en una silla".

Viéndole Fray Fernando tan animoso, no puso cuidado en solicitar lo que el médico había ordenado.

Llegó Fray Martín, le quitó de lo que estaba haciendo —vestir al enfermo— y le dijo:

—Vaya vuestra Reverencia a dar aviso para que le traigan a este enfermo los santos Sacramentos, no sea que se muera sin ellos.

"Antes que el acompañamiento que vino con el Señor —termina diciendo Fray Fernando— saliese del último arco de la enfermería, había expirado el Padre Fray Lorenzo de Pareja" (*Proceso*, pág. 134).

Se hallaba enfermo el Padre Fray Cipriano de Medina, sobrino del Arzobispo de México, y en tan grave estado, que cinco médicos lo habían desahuciado, aconsejando que sin pérdida de tiempo le administrasen los santos Sacramentos. Sólo una cosa extrañaba: que Fray Martín no se hubiese ocupado de él, ni le hubiera visto en varios días.

Era de noche y algunos religiosos velaban al enfermo, pensando que no llegaría con vida a la mañana siguiente.

A Fray Cipriano le entraron grandes deseos de ver a Fray Martín. A sus ruegos, los que le asistían fueron en busca del Santo, pero no le hallaron por parte alguna.

De tres a cuatro de la madrugada, una tenue claridad entró por la ventana, y al mismo tiempo, sin que nadie le esperase, se presentó en la habitación Fray Martín.

El Padre Cipriano experimentó una gran sensación de alivio y empezó a lamentarse con el enfermero por el abandono en que le tenía.

—¿No recordáis —le dijo el enfermo— que cuando ingresé en el convento os rogué que me considerase como hijo vuestro y yo os he venerado en todo tiempo como a verdadero padre? Y ahora que estoy para morir ¿me priváis de vuestras visitas?

Fray Martín dejó que el enfermo se desahogara por considerar que aquello le era conveniente. Escuchaba en silencio y apenas podía ocultar una amable sonrisa.

Cuando lo juzgó oportuno, alzó la cabeza, miró fijamente al Padre Cipriano y le dijo con el tono modesto y suave que acostumbraba, pero dejando traslucir algo de reproche:

—Debía haber comprendido vuestra Paternidad que no se hallaba en peligro, pues ya sabe que es mala señal que haga frecuentes visitas a un enfermo. No se preocupe si nota que ha empeorado: esta crisis anuncia una pronta curación. Vuestra Paternidad no morirá ahora. Dios quiere que viva y le dé aún mucha gloria sirviéndole en la religión.

Pocos días después, las palabras de Fray Martín quedaron confirmadas por los hechos. "El Padre Cipriano empezó a mejorar y pronto estuvo en condiciones de renovar su labor apostólica dando muchos años gloria a Dios" (*Positio*, p. 23).

Así, pues, cuando algún hermano estaba próximo a morir, Fray Martín le visitaba con frecuencia y al mismo tiempo que le procuraba los remedios indicados por la ciencia, se ocupaba en preparar su espíritu para el gran paso. Les hablaba de la infinita Bondad y Misericordia de Dios, que abre los brazos desde la cruz, y de los medios que nos da para sobrepasar la barrera de la muerte.

Una vez ocurrida la defunción, Fray Martín no confiaba a nadie los últimos y penosos servicios. El mismo lavaba el cadáver, lo revestía y lo llevaba envuelto en una sábana a enterrar con la ayuda de otros hermanos. A todos recomendaba que oraran por el difunto; pero a veces su cara aparecía muy risueña, llena de celestial alegría, interpretándose esto como que el Siervo de Dios sabía que el alma del extinto estaba ya en la gloria.

Sutileza

En fecha no bien precisada se extendió por Lima una epidemia de "alfombrilla" o sarampión maligno que, como era de esperar, invadió también el convento de Nuestra Señora del Rosario, causando en él algunas víctimas.

Hubo hasta sesenta enfermos, "los más de ellos mancebos novicios", según el P. Fray Fernando Aragonés, manifestándose por altas calenturas "que se subían a la cabeza, con que deliraban, teniéndoles dementados", sin que se encontrasen remedios eficaces.

"En esta ocasión —añade— anduvo el siervo de Dios sin parar de día ni de noche, acudiendo a los enfermos con ayudas, defensivos cordiales, unturas, llevándoles también a medianoche azúcar, panal de rosa, calabaza y agua para refrescarles. A estas horas *entraba y salía maravillosamente en el Noviciado con las puertas cerradas y echados los cerrojos o cercos*" (*Positio*, p. 37).

Unos hechos concretos nos mostrarán la "sutileza" de que gozó con tal ocasión nuestro Santo.

Bien entrada la noche oíase en el Noviciado un quejido prolongado y lastimero. Uno de los jóvenes enfermos, Fray Vicente, llamaba con desespero a Fray Martín.

Viéndole de pronto en su celda, le preguntó:

—¿Cómo ha entrado?

—Callad. No os metáis en eso —le respondió en tono amable, llevándose el índice a los labios.

Con destreza y rapidez le quitó la camisa empapada y le envolvió en las mantas de la cama mientras calentaba la camisa que le había traído, en el brasero aromatizado.

En esto abrióse la puerta y se asomó con cuidado el Padre Maestro de Novicios, Fray Andrés de Lisón. Suspenso de admiración cerró de nuevo la puerta y salió con cautela para que no lo viese el mulato.

Quiso averiguar por dónde iba a salir del Noviciado y se paseó por el claustro, atento a la puerta, que tenía los cerrojos corridos y estaba cerrada con llave, que él guardaba.

Largo tiempo estuvo en acecho, pero Fray Martín no salía. Por último se decidió a entrar en la celda. Ya no estaba el enfermero y el novicio dormía como un bendito. Salió de puntillas para no despertarle y luego, con paso rápido, se dirigió a la puerta del Noviciado, que se hallaba cerrada como antes.

Otro novicio enfermo era Fray Matías de Barrasa, joven de pocos años y débil constitución, que no era presumible superase la violencia del mal. Sintiéndose una noche mucho peor, empezó a pedir la visita de Fray Martín.

También estaba cerrada la puerta del Noviciado a aquella hora y la llave en poder del Maestro de Novicios. El portero, Fray Francisco Guerrero, pidió permiso al Padre Maestro de Novicios para hacer entrar a Fray Martín, lo que consiguió no sin cierta dificultad. Tomó las llaves y se disponía a abrir la puerta del Noviciado; pero temiendo que pasar por delante de la celda de Fray Matías, quiso darle la buena noticia. Se asomó y . . . ¡oh sorpresa! vio dentro a Fray Martín, junto al lecho del enfermo, conversando con él tranquilamente (*Ad novas*, LIII, p. 63).

Haciendo al alba el acostumbrado recorrido el Padre Fray Fernando Aragonés, vino a saber que cada enfermo había recibido con la visita de Fray

Martín el cuidado de que había tenido necesidad (*Positio*, p. 37).

Sesenta enfermos son muchos enfermos para una casa religiosa, aunque fuera tan grande como la de Nuestra Señora del Rosario. Cualquier enfermero podría haber tenido mil excusas para justificarse por no poder llegar a todos. Pero San Martín, que era muy cuidadoso de todas las cosas del convento, no podía dejar desatendidos a los hermanos, que valen muchísimo más que todas las cosas.

En lo más fuerte de la epidemia cuidaba de cada cual como si cada enfermo hubiese sido el único de la casa. Intuía los deseos y suplía la ignorancia o los descuidos de los médicos.

Un enfermo sentía invencible aversión a tomar toda clase de alimentos con excepción de cierta clase de fruta . . . Al poco tenía lo que deseaba. Sólo después de haberse puesto bien se dio cuenta de que la fruta comida no era del tiempo y no se encontraba por entonces en el mercado de Lima (*Ad novas*, XIII, p. 66).

Mientras que la mayoría de los enfermos estaban ansiosos de bebidas refrescantes, había uno que no permitía que entrase en su boca cosa alguna. Fray Martín, sabiendo que era conveniente para su salud, le llevó agua fresca con azúcar y no se movió de su lado hasta que no bebió la ración servida (*Ibid.*, VI, p. 64).

Durante la misma epidemia se hallaban enfermos dos novicios que ocupaban una misma habitación. Uno de ellos, muy grave, deliraba y decía sandeces en voz alta, causando la burla del otro, que tenía poca fiebre y se divertía de lo lindo oyendo los despropósitos de su compañero, que comentaba en son de ironía con cualquiera que se presen-

labra a prepararse del modo más adecuado para su sublime misión de predicadores y evangelizadores.

Pero no se limitaba sólo a esto.

Cierto día discutían dos estudiantes fuera de clase una difícil cuestión teológica en torno a si es más perfecta la existencia que la esencia.

Después de mucho tiempo, estaban en el mismo punto cuando acertó a pasar junto a ellos Fray Martín. Por extraño que pueda parecernos, ambos se dirigieron al hermano cooperador pidiéndole su parecer.

Hacer semejante pregunta a un lego que tal vez momentos antes había dejado la escoba en cualquier rincón del convento para ir a la cocina y dedicarse a los trabajos más humildes, parecía fuera de traste. ¿Querrían burlarse, acaso, del hermano "mulato"?

No. Los dos estudiantes no bromeaban y a Fray Martín tampoco se le antojó extraña la pregunta. Con sencillez y su acostumbrada sonrisa en los labios, respondió:

—¿No dice Sto. Tomás que la existencia es más perfecta por ser el último ser? Pero en Dios el ser es el mismo existir.

Y siguió adelante tan tranquilo.

Los dos muchachos quedaron estupefactos. Consultaron al Director de estudios y obtuvieron la misma respuesta dada por Fray Martín. "Seguidamente explicó a los jóvenes que Fray Martín había sabido responder tan bien y con tanta seguridad por haber profundizado mucho en la ciencia de los Santos" (*Ad novas*, 11, pp. 10-11).

En otra ocasión un grupo bastante numeroso de estudiantes empezaron una discusión que amenazaba degenerar en reyerta. Los argumentos expuestos antes con orden, se amontonaban confusamente, esforzándose cada cual por hacer oír su voz.

En lo más recio de la disputa llegó Fray Martín y preguntó a qué venía aquel alboroto. Le respondió Fray Bernardo Belilla que estaban discutiendo sobre cierta cuestión del Doctor Angélico.

—¿A qué acalorarse tanto —respondió Fray Martín— cuando el mismo Sto. Tomás resuelve la cuestión?— Y dio a Fray Bernardo la indicación precisa del lugar en que aparecía resuelta, citando el número de la cuestión y del artículo correspondiente (*Ad novas*, VIII, p. 11).

¿Cabe explicación a hecho tan sorprendente? ¿Frecuentaría Fray Martín la biblioteca del convento? Pero, ¿acaso tenía tiempo que dedicar al estudio y consulta de libros?

Lo cierto es en una casa de tanta reputación de estudio y de saber como el convento de Nuestra Señora del Rosario, Fray Martín pasaba por hombre sabio y científico.

La ciencia de nuestro héroe era la típica de los Santos, la que el Evangelio promete a los limpios de corazón, la misma que Sto. Domingo reconocía haber adquirido en el libro de la caridad y Sto. Tomás en la contemplación del Crucifijo.

Sin embargo, es indudable que Fray Martín poseía una inteligencia muy despierta, como lo demostraban sus profundos conocimientos médicos conseguidos a fuerza de observación.

Labor apostólica

Fray Martín fue un verdadero hijo de Sto. Domingo aun en el deseo de comunicar la verdad y extender el reino de Cristo.

Amaba a las almas en la fe y a la luz de su glorioso destino como piedras preciosas destinadas a constituir la Jerusalén celestial. Ansiaba ver brillar en el frente de los componentes de la Iglesia militante la luz esplendorosa de la Iglesia triunfante (*Ad novas*, VII, p. 10).

Cierto es que Fray Martín no podía subir al púlpito ni a ninguna cátedra, pero la lengua no está callada cuando se tiene el corazón henchido de amor. Aprovechando sus múltiples relaciones con los indigentes de todas clases, emigrantes desafortunados, antiguos soldados, indios, negros y mulatos acuciados por la necesidad, que diariamente acudían a la puerta del convento por comida y cuidados médicos, procuraba facilitarles también alimento espiritual para sus almas.

Después de haber distribuido la comida a los enfermos, a la servidumbre y a los pobres, reunía en la enfermería algunos jóvenes y gente seglar que trabajaban en Nuestra Señora del Rosario, y les enseñaba la doctrina cristiana y las oraciones y les explicaba con sencillas pláticas cómo habían de acomodar su vida a lo requerido por la fe (*Ad novas*, de VIII a LV, p. 12-13).

Especial apostolado ejercía en Limatambo, cuando iba a la estancia de temporada para robustecer su salud, entre la servidumbre, los negros y negras y aun entre gente de las aldeas (*Ad novas*, XXIV, p. 13).

Sus palabras eran de gran eficacia, primeramente por saber lo que decía basándose en la propia experiencia; y después, debido al entrañable amor que demostraba por todos los desvalidos, principalmente los trabajadores del convento y de fincas como la de Limatambo. No sólo veían en él un apóstol, sino una persona de color que tenía especial autoridad para hablarles y ser escuchado. De ahí la gran eficacia de sus enseñanzas y advertencias.

Con la venia del superior de la estancia, nuestro Santo se encargó por una temporada de la educación de los negros. Todas las noches, concluida la faena del campo, recorría una a una las míseras chozas, dedicándose a curarles las llagas corporales y las de sus almas procurando desarraigarles los vicios groseros —sensualidad, borrachera— y malos hábitos de hurto.

De vez en cuando, alguno de aquellos infelices recibía el bautismo; otro comulgaba por vez primera y no era raro que otros se confesasen.

Pero había algo más que las palabras para atraer aquellas conciencias encallecidas y acercarlas al Señor, como era la sangre derramada a diario por Fray Martín.

El Santo quería que sólo Dios fuese testigo de sus penitencias, pero éstas no quedaban ocultas para mayor edificación y veneración por parte de quienes las conocían. Pronto fueron los mismos negros los que corrieron la voz de que el Hermano se azotaba cruelmente.

Le veían adentrarse por el olivar y en cuanto salía, iban a examinar el lugar del suplicio, encontrando las hiervas del suelo y las cortezas de los árboles empapadas en sangre.

En la temporada pasada en Limatambo, a pesar de no haber abandonado el siervo de Dios sus actividades y trabajando mucho, mejoró bastante de salud. El campo, el aire fresco y hasta las duras faenas agrícolas en las que ayudaba a los negros, le tonificaron el cuerpo.

Un caso de bilocación

Durante su permanencia en Limatambo, Fray Martín hizo peregrinas "escapatorias" al convento de Lima, una de las cuales nos la refiere Fray Fernando Aragonés.

"Habiendo ido a Limatambo —dice— dejó encomendado a un religioso Hermano el cuidado de tocar el *Angelus*. Pero éste se puso enfermo a los pocos días. Entonces dejó el encargo a un negro del convento, con la promesa de darle, cada vez que tocase puntualmente, un real de plata.

Accedió gustoso el negro.

Mas yendo cierto día a tocar, se halló a Fray Martín en la torre tocando. Y le dijo:

—¿Para qué tocáis?, pues yo tenía el encargo de parte de Fray Domingo. Pues yo venía a ganar un real que me había prometido por tocar el alba y ahora no me lo dará.

Y Fray Martín respondió:

—Pedidle el real, que yo no le diré que toqué, y él te lo dará.

Y, en efecto, se lo dio.

Hablando luego el negro con algunos religiosos del convento sobre el caso, le respondieron todos que no era posible, pues hacía ocho días que se hallaba en Limatambo. Mas el negro porfió que era él, que le había visto bien" (*Proceso*, p. 157).

Los superiores hicieron las oportunas averiguaciones y supieron por el "estanciero" que Fray Martín no se había ausentado de la finca.

Misionero de deseo

Fray Martín sufrió la pena del deseo, anhelando realizar al máximo el ideal dominicano de apostolado entre los fieles y los infieles.

El Perú era una conquista reciente de la Iglesia. Los misioneros españoles que lo habían evangelizado pertenecían a la generación de los abuelos de nuestro Santo; sin embargo, podía considerarse todavía tierra de misión por las extensas zonas inexploradas, como lo son en la actualidad las zonas limítrofes con el amplio valle del Amazonas. Pero la predicación del Evangelio no podía considerarse en el Perú como empresa arriesgada debido al favor que los ministros de Dios gozaban de las autoridades.

Mas oía hablar con frecuencia nuestro Santo a gentes procedentes de los dominios de España en Asia y Oceanía, de los extensos reinos de la China y del Japón, poblados por infieles. Se ponderaban las hazañas de los religiosos Dominicos y de otras Ordenes, algunos de los cuales habían derramado ya su sangre por la fe de Cristo. Fray Martín envidiaba a los santos mártires, pero aunque le deslumbraba la idea de misionar, no se creía digno de sufrir el martirio.

También oía hablar a soldados españoles de los que acudían en busca de comida, de las amarguras que sufrían los cautivos cristianos en tierras de moros, en Argel, Túnez y Marruecos, de los malos tratos que recibían, del hambre, de la prisión y de los trabajos bajo el látigo —lo mismo que se hacía allí con los esclavos— y de las fuertes tentaciones que sentían algunos de renunciar a la fe cristiana para obtener la libertad y estar mejor considerados.

Mas a Fray Martín le exigió el Señor el sacrificio del deseo, si bien, realizando un prodigio de su omnipotencia, le demostró cuán grato le era su ardiente deseo de trabajar por la propagación de la fe y dar por ella la suprema prueba de amor mediante el martirio (*Ad novas*, I y VII, p. 10).

Ya hemos dicho que, según referencias de algunos de sus hermanos de religión, Fray Martín se hacía invisible los días que comulgaba. En ese tiempo, nuestro Santo realizaba viajes insospechados, de los que no se tenía noticia alguna en el convento. Pero Dios permitió que se hiciese alguna luz sobre las actividades de Fray Martín durante las misteriosas ausencias.

He aquí el relato de un hecho extraordinario que puso de manifiesto los carismas usados por el Señor con su humilde, abnegado y caritativo siervo.

Cierto día se presentó en el convento un caballero español. El portero le hizo pasar al interior del claustro y luego fue a dar aviso de su presencia. Mientras tanto, el forastero admiraba la fuente situada en medio del jardín y examinaba con cierta curiosidad los arcos, las columnas y los frisos de hermosos azulejos sevillanos.

De pronto oye pasos y ve llegar por una galería al religioso designado para acompañarle en su visita y servirle de *guía*. Acto seguido, después de intercambiarse los saludos de rigor, el Padre Fray Francisco Vega, que tal era el guía, le va explicando detalladamente la disposición y dependencias del edificio . . .

De improviso pasa Fray Martín y el visitante acude presuroso a saludarle con entusiasmo y gran reverencia.

—Pero Fray Martín, ¿cuándo ha llegado su Reverencia?

Bienvenido —le responde el Santo, sonriente—. Perdone su merced, pero no puedo atenderle ahora. Llevo prisa porque tengo mucho que hacer. Luego nos veremos.

El caballero no comprende la actitud y reserva de Fray Martín, pero éste le indica en voz baja y con disimulo que no diga a nadie lo que debe permanecer secreto entre ellos dos. Y, despidiéndose con otra sonrisa, prosigue su camino.

El visitante no se explica semejante prohibición. Pero no menos intrigado se queda el Padre Fray Francisco, que ha permanecido a discreta distancia, pero ha presenciado la extraña escena. A instancias suyas, refiérele su historia el forastero.

"Estaba yo cautivo en Argel —le dice— y allí empezó a visitarnos y socorrernos el Hermano que acabáis de ver. Este religioso dominico de tez morena desplegaba una actividad asombrosa, con tal desvelo, ternura y amor, que todos los cautivos llorábamos de gratitud cuando le veíamos.

"Fray Martín nos traía pan, dinero y muchas cosas necesarias. Curaba a los enfermos y les devolvía la salud. A todos nos exhortaba a que nos mantuviésemos firmes en la fe, poniéndonos por delante lo mucho que había sufrido el Señor por nosotros, hasta derramar su última gota de sangre por nuestra salvación.

"Nadie sabía por dónde entraba este bendito Hermano en los oscuros y fétidos calabozos. Luego de remediar nuestras necesidades sentábase en el suelo junto a nosotros y con dulce y acariciadora voz nos hablaba de la libertad que pronto alcanzaríamos. De esto pasaba a pintarnos con los más vivos colores la completa libertad que se goza en el Cielo, en donde se acaban para siempre los dolores y penalidades.

"Los cautivos oíamos las consoladoras palabras derramando gruesas lágrimas, que él recogía mentalmente para ofrecerlas a Dios Todopoderoso.

"Si pude conseguir la libertad —prosiguió diciendo— fue gracias al dinero que para pagar mi rescate me fue entregando poco a poco, pues nos visitaba con gran frecuencia" (Vida del Beato Martín de Porres, por autor anónimo, pp. 121-22. El cautivo liberado era D. Francisco Vega Montijo).

La peregrina historia llenó de asombro al Padre Fray Francisco, pues no tenía noticia, como nadie en el convento, de tales viajes de Fray Martín, puesto que nunca faltaba de casa o aparecía tan pronto como se requería su presencia. Sabiendo esto el caballero, se reafirmó en la idea de que Fray Martín era un verdadero santo.

* * *

Pero no misionó solamente en Berbería. También predicó la fe de Cristo en China y en el Japón, donde sólo Dios sabe las almas que ganó para la religión.

Fortuita fue la manera de enterarse el convento de viaje y estancia tan milagrosa.

Llegó a Perú Francisco Ortiz después de haber estado cierto tiempo en el Extremo Oriente, sobre todo en Manila, capital de Filipinas.

El caballero trabó pronto buena amistad con Fray Martín, hablándole de sus andanzas por aquellas tierras. Entre otras cosas le dijo que había conocido allí a un Hermano de la Orden Dominicana, el cual había recogido veintinco huérfanos a los que proveía de alimento, vestido y educación, valiéndose de las limosnas que a tal fin recababa de las personas pudientes de la ciudad.

Fray Martín mostró vivos deseos de conocer a aquel Hermano suyo, que tanto bien hacía en el Lejano Oriente, con objeto de intercambiar ideas y comunicarse sus respectivos planes y experiencias.

A los tres días volvió D. Francisco Ortiz al convento y cuál no sería su extrañeza oyendo decir a Fray Martín que Nuestro Señor le había hecho conocer al siervo de Dios de que le había hablado, y mayor maravilla le causó ver que el Santo no sólo conocía los usos y costumbres de aquellos lejanos países, sino que hablaba a la perfección la lengua china por haber estado, según decía, en aquellos reinos (*Proceso*, pág. 119-122).

Esto nos demuestra que Dios había dado a Fray Martín, además del don de la bilocación, el de la "glosolalia", como a los Apóstoles y a diferentes Santos, tales como S. Francisco Javier, S. Vicente Ferrer, S. Luis Beltrán y otros.

Otra notable prueba de bilocación la conocemos por el relato hecho por Juan Vázquez, el inseparable amigo de nuestro Santo.

"Salimos de una chácara y, pasando un alfalfar, hallamos a un hombre llamado Carrillo. Llegamos a hablar con él, a cuyo tiempo bajó un muchacho de la vivienda, diciendo:

—Señor, que se muere mi tía.

Respondió el venerable Fray Martín:

—¿Qué le ha dado, muchacho?

A lo cual respondió Carrillo:

—Padre, está padeciendo una erisipela en la cara y la tiene hecha un odre.

Respondió Fray Martín:

—¡Válgame Dios! Vamos allá.

Fuimos y vimos a la enferma, que ya estaba más para la otra vida que para ésta. Fray Martín pidió una copa de agua y un pollo que tuviera todo el pelo negro. Y cogieron un gallo por no haber pollo. Y le hizo pelar desde los encuentros de las alas hasta la cabeza. Y, cortada ésta, toda aquella sangre que caía en el agua rosada se iba batiendo.

Mezclada ya el agua con la sangre, mandó que se pusiesen unos paños mojados en aquella agua y se aplicasen a la parte donde estaba la erisipela. Y, habiéndosela puesto, nos despedimos diciendo que por la mañana enviaría a ver cómo estaba la enferma.

Y pareciéndole al hombre que no sería a propósito aquella cura, le preguntó:

—Padre, ¿quién usa de esas curas, que no las he oído nunca?

Y respondió el venerable Fray Martín:

—Vi hacer esta cura en uno de los más grandiosos hospitales que hay en toda Francia, que fue en Bayona. Desde entonces yo me he aprovechado de ello, y se han hallado mis enfermos muy bien. Y así espero en Dios que esta señora se hallará mejor con este medio.

Al día siguiente, apenas amaneció, dándome una cestita, me dijo:

—Anda a una confitería y compra unos dulces y llévalos a aquella enferma y sabe cómo está.

Yo fui con la canastilla llena de acitrones y de calabazas. Encontré un negro antes de llegar a la casa, el cual iba echando unos borricos fuera. Y díjome:

—¿Ahora venís? Pues ya el Padre vino e hizo una sangría y se volvió a ir.

Yo lo tuve a chanza. Entré a donde estaba la señora enferma y hallé la sangría en una escudilla. Saludé a la señora y dile el recado que el Padre me había dado. Y díjome:

—Ya estuvo aquí el P. Fray Martín. Pero sin embargo yo te agradezco el recado, porque me dejó dicho que se hiciera lo mismo que ayer.

Por lo que habían ido a buscar un pollo a otra parte.

Yo me volví al convento. Y, hallándole en su celda, le dije:

—Padre, ¿para qué me envía solo si había de ir allá?

Y me respondió:

—Pues si vos vais jugando, ¿tengo yo la culpa?

La enferma quedó buena y Fray Martín muy contento (*Proceso de beatificación*, pp. 392 y ss).

Trabajador infatigable

Fray Martín y Fray Cristóbal paseaban una mañana por los caminos que dividían los campos de la estancia de Limatambo, una de las haciendas que el marqués D. Francisco Pizarro concedió a los religiosos, confirmando la donación por decreto del 24 de enero de 1540. Iba con ellos el joven Juan Vázquez, el fiel ayudante de Fray Martín.

Era la estación de la siembra y los campesinos esparcían la semilla por las tierras recién labradas.

Los dos frailes y el muchacho estaban embelesados contemplando las faenas de la siembra cuando de repente dijo Fray Cristóbal:

—¿Ve, Hermano, aquellas tierras incultas más allá de los campos labrados? Serían únicas para un olivar. Pienso mucho en ello y no quisiera que pasase este año sin hacer la plantación. Pero habrá que esperar a que se termine la siembra porque carecemos de personal.

—No se aflija, Hermano, que la Providencia de Dios es grande, pues con los muchachos que tenemos en casa hay harto para que hagan los hoyos.

Fuese al olivar, llevando tres carretillas y comenzó en compañía de algunos muchachos a hacer hoyos, cada uno de los cuales tenía media vara de hondo y una cuarta de ancho. El primer día hicieron unos noventa. Así continuaron toda la semana. Llegado el sábado, comenzaron la plantación, utilizando ramas cortadas del olivar.

Fray Martín se sentía feliz.

Se puso a colocar varas en los hoyos, y el lunes siguiente, a partir del mediodía, comenzó a regar las estacas plantadas. Fue admirable —dice Vázquez— que al tercer día se veían en muchas de ellas retoños como de una cuarta. Prosiguió la plantación y a los quince días ya había como setecientos hijuelos. En un mes se acabó todo el olivar que. unos años más tarde, cuando Vázquez escribía su relación, era un prodigio verlo (*Proc. Beatif.*, p. 389).

Tratándose del provecho del convento y bien de sus hermanos, Fray Martín no reparaba en sacrificios. Lejos de rehusar el trabajo, el esfuerzo y el sacrificio, siempre iba en su busca por el sincero amor que profesaba a la comunidad y a cada hermano en particular. El amor se ha de demostrar con obras y donde no hay sacrificio, no hay tampoco amor, o al menos no se demuestra.

El trabajo fluía con tanta naturalidad en las manos de Fray Martín que jamás tenía aire de cansado. Ya podían llover cargas y cargos sobre él: no se inmutaba y todo lo hacía con orden y precisión.

El atender a tantísimos oficios denotaba en él la presencia de Dios, siendo motivo para ensalzar la magnificencia del Señor. Según su contemporáneo Fray Cristóbal, "había visto con sus propios ojos y tocado con sus mismas manos el gran poder de la gracia de Dios, el cual hacía que en un hombre de carne y hueso pudiera haber un serafín con tanto fuego de caridad" (*Positio*, pág. 30).

Ropero bien organizado

Además de atender a la enfermería, Fray Martín estaba al frente de la ropería y del vestuario, tanto de la enfermería como de la Comunidad.

Ideó todo un plan que comprendía la organización de ambas cosas, derrochando ingenio y laboriosidad.

Cada miembro de la Comunidad y cada enfermo tenían su número. En el guardarropa dispuso tantas casillas como personas había, debidamente numeradas, igual que las prendas de cada cual.

Todos los sábados iba de celda en celda con su gran canasto lleno de las mudadas y las distribuía a los religiosos. Los lunes hacía el mismo recorrido para recoger la ropa sucia que había de lavarse (*Proceso* 1660, c. 443).

Mas no se conformó con distribuir puntual y ordenadamente la ropa y demás prendas existentes, sino que poco a poco se industrió para que todos tuviesen lo necesario, independientemente de su situación económica individual, recurriendo para ello a las limosnas de gente acomodada de la ciudad.

En cuanto a la enfermería —como luego se dirá— procuró dotarla del menaje, muebles y cuanto era preciso para su buen funcionamiento y alivio de los pacientes.

El Padre Alonso de Arenas estimó en más de seis mil las piezas que constituían en su tiempo la dotación de la guardarropa, admirándose del contraste entre la pobreza personal del guardarropero y la riqueza que el trabajo industrioso de Fray Martín había proporcionado a la comunidad.

Fino humor

Las jornadas del Siervo de Dios parecían tener por lo menos setenta y dos horas de duración. A pesar de hallarse atareadísimo en la enfermería, la ropería, la limpieza, distribución de comida y trabajo agrícola, no por eso abandonó su primitivo oficio de barbero-peluquero.

A la peluquería del convento, a cuyo frente se hallaba, acudían los jóvenes para hacerse el cerquillo, constituyendo tal circunstancia un motivo de distracción y pasatiempo.

Entre los *clientes* los había chistosos, bromistas, taciturnos y concentrados, pero en general, más bien alegres y de buen humor, como corresponde a la gente joven.

Fray Cipriano era de poca talla para sus años y pasaba por "feo", siendo objeto de bromas pesadas a cargo de ciertos compañeros. Saliendo al encuentro de las burlas, dijo un día Fray Martín:

—Lo llamáis feo y decís que parece un renacuajo. Pues bien, sabed que crecerá y será honra de nuestra Orden.

Las palabras de nuestro Santo resultaron proféticas y tuvieron exacto cumplimiento. Fray Cipriano padeció unas calenturas que le retuvieron en cama por espacio de tres o cuatro meses. Cuando se levantó, había crecido media vara, habiendo necesidad de proveerle de calzado, ropa y hábitos nuevos adecuados a su nueva talla. Andando el tiempo, regentó varias cátedras en la Universidad y terminó siendo obispo de Huamanga.

A este mismo religioso debemos el relato de un hecho que pone de relieve el fino humor de nuestro Santo y que atestiguó en el proceso de Beatificación (pág. 89).

"Una tarde, después de la clase de teología fuimos varios a la celda de Fray Martín para que nos diese de merendar.

"Fray Martín nos recibió con mucha amabilidad y simpatía y nos dijo que esperásemos, que en seguida volvía con la merienda.

"Al quedarnos solos fisgoneamos por toda la estancia y en uno de los cajones que abrimos encontramos algunos plátanos y pocos aguacates, que consumimos en poco tiempo.

"En esto entró Fray Martín con pescado, miel, pan y otras cosas, y, sentándose en el suelo en un rincón, nos dijo:

"—Ea, hijos, merienden.

"Al irse acabando la merienda, nos dijo:

"—Pensaba darles de postre algunas frutas que guardaba para sus reverencias; pero como ya se las han comido, lo último ha sido lo primero.

"Luego, dirigiéndose a uno de nosotros (era Fray Alonso de Segura), le dijo:

"—Poned ahí el patacón que tomasteis, que no es nuestro y tiene dueño.

"Asombrámonos todos y también el interesado, que contestó:

"—¿Qué patacón, hermano, ni quién le ha tomado?

"—Sacadlo del zapato —le replicó el Santo— que no está ahí bien la cruz de Jesucristo que lleva la moneda".

* * *

Entre las actividades de Satanás estaba la de llenar la cabeza a los novicios de vanas fantasías, grandezas, honores, comodidades, opulencias, y goces que habían acabado de abandonar en el mundo.

Como entre otros dones Dios había dado a Fray Martín el de penetrar los pensamientos de sus hermanos, y se valía de él para salvar almas en peligro y asegurar vocaciones entre los novicios.

Fray Francisco Velasco de Carabantes, mencionado ya en las páginas precedentes, era hijo del Tesorero Mayor de Lima. Cierto día recibió la visita de su padre, quien le dio noticias de haber conseguido del Rey que pudiera sucederle en el cargo después de su fallecimiento, por lo que trató de persuadirle para que dejase el hábito y se saliese.

Deslumbrado el novicio por porvenir tan halagador, trazó juntamente con su padre el plan para evadirse aquella misma noche. Pero no habían contado con Fray Martín.

Cuando los novicios se dirigían por el claustro hacia el comedor para cenar, yendo a la cabeza de una de las filas Fray Francisco, por ser el menor, se le acercó nuestro Santo y le dijo al oído:

—Ya sé, jovencito, que quiere soltar el hábito y dejar la casa de Dios para ser el día de mañana Tesorero Mayor. No lo haga. Mejor será que sirva al Señor y asegure su salvación.

Le dio una palmadita en el hombro y añadió:

—Créame que si no lo hace por amor, tendrá que hacerlo por temor.

Ya en el refectorio, el novicio sintióse mal y, obtenido el consiguiente permiso del Padre Maestro, fue a acostarse.

Un mes estuvo en cama. Y cada vez que intentaba salirse, volvía a ponerse enfermo. Al fin renunció a dejar la vida religiosa (*Procesos* de 1660 y 1679).

En otra ocasión, dos novicios saltaron la tapia del convento en las primeras horas de la noche y llegaron al "Cercado", pueblecito de las afueras de Lima, donde les esperaban.

Al notar la falta de ambos el Padre Maestro, en el momento de formar las filas para los maitines de medianoche, se encontró con Fray Martín y le contó lo que pasaba. El Santo se sonrió y le dijo:

—No pase vuestra Paternidad cuidado. Están seguros y duermen en este momento. Yo se los traeré mañana.

Se presentó Fray Martín en la casa donde se hallaban y empezó a llamar.

—¿Quién va? —respondieron desde dentro.

—¿Están ahí dos novicios llamados Tal y Tal? (uno de ellos era Fray Esteban Bernagelí).

—Aquí no hay tales novicios.

—No nieguen, que sé que están —repuso el Santo.

Ante el tono de seguridad, abrieron la puerta y entró.

—Vamos, niños —dijo con cara amable, pero algo burlesca— vengan conmigo y nada teman.

Fiando en las seguridades de Fray Martín, le siguieron.

Pasaron la noche en la celda del Santo y a la mañana siguiente llevólos éste al Padre Maestro, quien viendo sus caras de inocentes, nada les preguntó. Ellos, por su parte, guardaron el secreto hasta pasado el peligro de un castigo.

* * *

A San Martín de Porres se le ha de incluir en la lista de los Santos humoristas, como Sta. Teresa de Jesús, S. Francisco de Sales, S. Vicente Ferrer y San Juan Bosco, del que tantas simpáticas y divertidas anécdotas se cuentan.

Con su fino humor realizaba nuestro Santo un gran apostolado, logrando atraer muchas almas a Dios.

Para terminar este punto y el presente capítulo, relataremos dos casos más que demuestran el humorismo de Fray Martín.

A un novicio llamado Fray Ulloa, le había regalado su madre un flamante par de zapatos nuevecitos que el muchacho llevaba al noviciado bajo los hábitos.

Le sorprendió Fray Martín, que salía de la celda del Padre Maestro, y le dijo:

—Los zapatos que lleváis escondidos no son conforme a la Regla.

—¿Qué zapatos dice su Reverencia? —replicó el jovencito.

Fray Martín se sonrió y se los sacó con gracia del seno.

El Santo los miró y la sonrisa le bailaba en los labios: eran unos lindos zapatos acharolados y con brillante hebilla.

—No os apuréis —le contestó Fray Martín—. Yo os daré otros nuevos que os vendrán bien y sin faltar a la Regla.

Dicho esto, se sacó de su seno un par de zapatos nuevos, hechos por el zapatero del convento, y que le paraban estupendamente.

—Vaya —dijo luego el Santo—. Estos —se refería a los de charol— se los daremos a un pobre. ¿Verdad?

La otra escena es la que sigue.

El Padre Procurador había mandado a Fray Martín por un pan de azúcar blanco. La mucha tardanza del Hermano le tenía impaciente y se paseaba con evidente nerviosismo por el claustro de la portería. De pronto se le ocurre una idea para poner a prueba la mansedumbre y humildad de nuestro Santo.

En cierto momento, suena la campana de la portería y se presenta en el claustro Fray Martín, sudoroso, porque ha tenido que correr para ganar algún tiempo. Antes de nada, se le acerca el Padre Procurador, reprochándole su tardanza, le toma el pan de azúcar y empieza a deshacer el bulto. Al ver el contenido, le advierte:

—Fray Martín, ¿no le dije que trajese azúcar blanco? De este ya tenemos en casa.

—No tenían otra cosa —responde el interpelado— pero no se preocupe, que fácil es el arreglo.

Seguidamente va a la pila de la fuente que hay en el centro del patio, se vuelve al Padre y le dice con la mayor naturalidad:

—¿Ve? Se lava y queda blanco, como lo quería.

Diciendo esto, sumerge por tres veces consecutivas el azúcar moreno en el agua, sacándolo al fin tan blanco como la nieve.

—Como ve su Reverencia —dice sonriente al Padre—, gracias a Dios ha resultado fácil el remedio.

El Padre Procurador se le queda mirando mientras dice para sus adentros:

—¡Estos Santos . . . !

V. INMENSA CARIDAD: PROYECCION AL EXTERIOR

El hospital de Fray Martín

Toda la vida de San Martín de Porres puede decirse que constituyó un dechado de eximia caridad. Empezó *queriéndose verdaderamente* a sí mismo, y, por eso, procuró hacerse Santo, alcanzar la perfección, tener espíritu de oración y estar continuamente en la presencia de Dios, vencer su amor propio considerándose un nada de quien todos podían hacer lo que les viniera en gana, mortificarse de manera asombrosa y parecerse en todo a Cristo, que se renunció a sí mismo y se sacrificó hasta la muerte siendo el Justo por excelencia.

Por ser la caridad la virtud distintiva del cristiano, hasta el extremo de que quien no la posea no puede tenerse realmente por discípulo de Cristo, el que practica esta excelsa virtud puede decirse que las tiene todas.

San Martín de Porres era de veras un horno encendido de caridad para con Dios y para con el prójimo; luego de ser caritativo consigo mismo —en el más amplio sentido de la palabra— y con sus hermanos de religión, la extendió al prójimo más inmediato con que trataba: los pobres y enfermos que acudían diariamente a la puerta del convento, e hizo que se ejercitaran también en ella los más elevados personajes de Lima, de quienes consiguió abundantes limosnas. El mismo gobernador fue un asiduo limosnero que cada lunes le llevaba asignaciones para los pobres y para celebraciones de Misas (*Ad novas*, VII, p. 53).

La fe hace milagros y el amor también. Fray Martín, un frailecito lego, promovió y sostuvo una institución benéfica, tan sólo con su inagotable caridad y amor cristiano.

Con frecuencia se vale Dios de las criaturas humanamente menos indicadas, para la realización de grandes obras y manifestaciones de su poder. Piénsese en los recursos con que contaron en los comienzos un S. Juan Bosco, S. Vicente de Paúl, S. Juan de Dios, Sta. Margarita Ma. Alacoque o Sta. Teresa de Jesús, —de cuya reforma celebramos ahora el cuarto centenario— para las empresas por ellos realizadas. ¿Y de quiénes, sino de pobres niños se ha valido la Sma. Virgen para comunicar al mundo los mensajes de Lourdes y de Fátima?

Algo parecido ocurrió con S. Martín de Porres.

Todos los días al mediodía se agolpaba a la puerta del convento del Rosario una abigarrada multitud de menesterosos, aventureros españoles que habían ido a las Indias soñando en hacer fortuna; soldados de origen humilde; indios, mulatos y negros "libres", desprovistos de todo socorro. En la portería del convento se repartían diariamente no menos de cien panes y otras tantas raciones de comida, de las sobras y algo que se hacía ex-profeso. Cuando no bastaba con lo preparado, Fray Martín se encargaba de que saliesen suficientes raciones para todos, como siglos después haría S. Juan

Bosco, que de la olla de castañas preparada por mamá Margarita, sacó más de trescientas arpadas para los niños recogidos en Valdocco. Antes de empezar el reparto bendecía los alimentos diciendo: "¡Dios los aumente por su infinita Misericordia!" Francisco de Sta. Fe, que le ayudaba con frecuencia en tal menester, miraba el nivel de la gran olla y calculaba que quedaban cuatro o a lo sumo seis raciones... y no dejaban de presentarse pobres y pobres con sus escudillas. Fray Martín no cesaba de sacar cazos hasta haber llenado todas las ollitas, contentando a las personas y hasta los perros y gatos, según expresión de Fray Fernando de Aragonés (*Ad novas*, XIX, p. 50; LV, p. 51 y XII, p. 48).

Acallada el hambre de los pobres, no por eso quedaba del todo satisfecha la caridad de Fray Martín. Miraba el extenso campo donde podía ejercitarse y no se daba sosiego.

En el puerto del Callao había un destacamento militar; pero los soldados pasaban verdadera hambre, y para remediar su situación, estuvo nuestro Santo yendo y viniendo por espacio de varios meses unos ratitos a pie y otros andando, cargado con las provisiones que podía agenciar (Kearns-*The Life of Blessed Martin de Porres*, p. 41).

Hoy parecerá muy extraño que un destamento militar de guarnición en un puerto pase hambre. En el siglo XVII ocurrían cosas muy peregrinas y no estaba la intendencia militar organizada como en la actualidad.

Entre la turba de menesterosos que diariamente acudían a la portería del convento del Rosario por comida, no faltaban algunos enfermos y ulcerosos. De éstos se encargaba Fray Martín y practicaba con tal acierto y cariño sus habilidades médico-quirúrgicas, que los pacientes se veían libres de sus males en contados días.

En torno del Santo mulato se fue formando una aureola de taumaturgia y de santidad difíciles de superar, y conforme pasaban los días era mayor la afluencia de pacientes que acudían a él.

Muchos hospitales había en Lima por entonces: nos dicen los autores que diez: el de S. Andrés, para españoles en general; el del Espíritu Santo, para las gentes del mar; el de S. Pedro, para sacerdotes; el de S. Bartolomé, para los negros "libres"; el de S. Lázaro, para los leprosos; el de la Inocencia, para niños expósitos; el de S. Cosme y S. Damián, para mujeres peninsulares; el de Sta. Ana y Nuestra Señora del Carmen, para indios . . .; pero Fray Martín con ayudas de dentro y de fuera —de otra forma no habría podido hacerlo— creó uno en el que no se distinguían los rangos, sexos ni colores de piel.

Entre las ayudas de dentro, no era la menor la que prestaba a nuestro Santo el Hermano Fray Martín Barragán, un extremeño de gran talla y recia constitución, de unos sesenta años, antiguo soldado en Nueva España o México, que, yendo al Perú se quedó con otros en las islas de los Galápagos, donde, por caprichos de la fortuna, permanecieron abandonados más de un año. Al fin apareció una galera que los condujo al puerto del Callao. Cumpliendo una promesa, fueron a dar gracias a la Virgen del Rosario y nuestro hombre se quedó allí vistiendo el hábito de lego dominico.

A los enfermos que más necesitaban un tratamiento continuado, con permiso del Superior, recogíalos Fray Martín en la enfermería del convento, en donde siempre había muchas celdas vacantes.

Sabiendo que había enfermos que no acudían al convento por no poder caminar, Fray Martín empezó a buscarlos por los infectos cuchitriles y bohíos.

Algunos frailes, y no sin motivo, empezaron a temer posibles contagios y expusieron al Padre Provincial la necesidad de evacuar de la enfermería a tantos enfermos. Dicho Superior, aun reconociendo la inmensa caridad que guiaba a Fray Martín en su humanitária obra, le expuso los motivos que aconsejaban el traslado de dichos enfermos a lugar adecuado, a fin de evitar los perjuicios que eran de temer para los religiosos y con el fin de que volviesen el orden y el recogimiento a la Casa de Dios.

Fiel a la obediencia, nuestro Santo cumplió seguidamente lo que se le mandaba. Previamente habló con su hermana Juana, quien animada de los mismos sentimientos que su santo hermano, accedió a que se llevasen a su casa de Lima los enfermos que aún requerían cuidados especiales.

Sin embargo, cierto día, hallándose Fray Martín en la portería posterior del convento, oyó un grito agudo y seco. Acudió presuroso y vio a un indio sangrando en abundancia tendido en el suelo. Tenía una gran herida en el vientre, efecto de una cuchillada recibida en riña. El Santo vaciló unos instantes, mas luego cargó con el herido y se lo llevó a la propia celda, haciéndole apresuradamente una cura de urgencia, proponiéndose cuidarlo hasta que el peligro hubiese desaparecido.

Pero un fraile avisó al Provincial de lo que ocurría y el Superior llamó al Santo y le dijo:

—Me ha sorprendido saber que vuestra Reverencia ha olvidado pronto el mandato que le impuse. Ya sabe que las Sagradas Constituciones ordenan castigar con disciplina esta falta de observancia, y yo mismo quiero darle paternalmente el correctivo.

Postróse al punto el humilde Hermano y el Provincial descargó unos cuantos golpes sobre las espaldas del "culpable", que los recibió interiormente lleno de gozo. El Padre Agustín de Vega, que tal era el Provincial, aparentando una sequedad que no debía sentir, añadió:

—Saque al punto a ese enfermo y sea en lo sucesivo más dócil y obediente. Váyase.

Fray Martín llevó al herido a casa de su hermana y a los cuatro días, estaba completamente bien. El Santo había ofrecido los golpes de disciplina recibidos por la curación de su patrocinado. Esto sucedió en 1621.

Al día siguiente, para quitar el enojo al Padre Provincial, Fray Martín le llevó un plato bien preparado de yuca, que sabía le gustaba mucho, y, con tal motivo, le explicó la manera de proceder como lo había hecho.

El Superior le contestó que le habían informado mal y coincidió con él en estimar que, dada la urgencia del caso y presumiendo con su conformidad, el precepto de la obediencia debía dar la preferencia al de la caridad.

—Váyase en paz, Hermano —terminó diciendo— y continúe obrando así (Gaffney, *Blessed Martin Wonder Worker* - Tralee, 1949, pp. 31-32; *Ad novas,* pp. 130-31).

Su hermana Juana

Ya dijimos que don Juan de Porres confió el cuidado de Juana a su tío D. Diego de Miranda.

Cuando fue mayor, le buscó un marido peninsular y de posición acomodada. Algún tiempo después el matrimonio se trasladó a Lima, donde Dios les dio una hijita. Además de tener casa muy amplia y rica en la ciudad, un verdadero palacio, poseían una estancia como a media legua de Lima, y allí pasaban con frecuencia días de recreo.

Ante los requerimientos de su santo hermano para que su casa limeña sirviese en parte para albergar el hospital que tenía en funcionamiento, Juana cerró los ojos sobre todos los inconvenientes y confió en la Providencia, creyendo en las palabras de Fray Martín. (H. G. Gaffney, *obra citada*, p. 31).

Fray Martín fue menudeando las visitas a su hermana en los momentos en que su presencia no era reclamada por ningún enfermo o por los superiores, aprovechando las visitas para inculcarle los mismos sentimientos de amor al prójimo que él abrigaba.

Y también para llevar la paz a la familia que alguna vez, como consecuencia de las miserias humanas, quedaba alterada entre los cónyuges.

Cierto día quedó amenazada en la casa de campo la tranquilidad del hogar por un gran altercado entre marido y mujer. Se celebraba una fiesta familiar y habían llegado de Lima bastantes parientes y amigos. La cosa llegó a tales extremos, que los invitados optaron por dejar solos a los esposos y empezaron a ensillar las mulas para regresar a la ciudad.

Todos se asombraron viendo aparecer, cuando menos lo esperaban, como ángel de paz, a Fray Martín, con una cesta al brazo llena de provisiones de boca y otras cosillas.

—La paz sea con vosotros —dijo en tono festivo, como si no se hubiese dado cuenta de la tensión que se dibujaba en los rostros—; mucho se ha de andar para llegar aquí. Pero he podido traer algo para comer. ¿Quieren que merendemos todos juntos?

Las mulas quedaron desaparejadas y enviadas a pacer la fresca hierba de un prado próximo. Grandes y pequeños formaron corro en torno al fraile y su cesta, desapareciendo con fruición todo el contenido de la misma.

Mas no estaban del todo disipadas las nubecillas de la discordia y Fray Martín contó detalladamente a los esposos las dificultades en que nunca habían pensado. Después les amonestó cual convenía.

Las pasiones comenzaron a desaparecer ante sus palabras, dando paso a una suave calma que hizo renacer la esperanza en el fondo de aquellos corazones. Juana y su marido prometieron dejar de ser egoístas y no vivir sino el uno para el otro (*Proceso*, pp. 212 y 55).

Llegada la noche, Fray Martín dijo a su hermana que no se preocupase por él, pues tenía donde ir a dormir. A la mañana siguiente, muy temprano, antes de ponerse en camino hacia Lima, fue a saludar a Juana y cerciorarse de que seguía reinando la paz (*Ad novas* XXXVI, pp. 75 y 113).

Poco después del hecho, Juana tuvo ocasión de ir a la ciudad y encontrarse con uno de los hermanos que trabajaban con Fray Martín en la enfermería. Le contó lo sucedido y lo hecho por su hermano para restablecer la paz en su casa.

—Pero que está diciendo, señora —replicó el fraile, cortándole la palabra—. En la tarde que decís vuestro hermano no se movió de la enfermería; teníamos algunos enfermos que necesitaban especiales cuidados y, como de costumbre, los atendimos Fray Martín y yo.

Una vez más el divino Poder había multiplicado la presencia del siervo de Dios para llevar los auxilios de su caridad donde eran precisos (*Proceso* de 1660, cc. 293-5).

Interés por los niños

Entre los necesitados que acudían a la puerta del convento había no pocos chicuelos a los que, después de darles de comer, los reunía para enseñarles el catecismo, mejorar su condición moral y ocuparse de buscarles una colocación.

Eran muchos los niños que, ansiosos de imitar a los mayores, que realizaban insuperables proezas por toda la redondez de la tierra, se metían de oculto en los barcos. Mas al llegar a los lejanos países se encontraban, por lo general, en el mayor desamparo. España se desangraba y en lo más culminante de su inmenso imperio, apenas tenía la Península siete millones de habitantes.

Los chicos llegados a América no sabían qué hacer y era corriente que se convirtieran en golfillos de las grandes ciudades, como Lima, donde pululaban a centenares.

Fray Martín pensaba mucho en la suerte de los pequeños, tanto blancos como indios, mulatos y negros.

"La mayor parte del día —atestiguó Fray Juan de Medina, hermano cooperador que convivió con nuestro Santo— acudía al ministerio de enfermero, a curar y consolar a los enfermos. Y, en especial, en tiempo que los muchachos de esta ciudad de Lima se suelen venir al río a título de bañarse, a guerrear con hondas y apedrearse, haciendo en dos parcialidades reñidos bandos, de los que salían muchos de ellos heridos. Y Fray Martín les recogía y curaba con todo amor y piedad" (*Proceso*, p. 174).

Típico entre todos fue el caso de Juan Vázquez, chico de catorce años, demostrativo de que Fray Martín no se contentaba con remediar el mal del momento, sino que deseaba que los pequeños se hiciesen poco a poco hombres de provecho y útiles a la sociedad.

Fray Martín encontró a Juan Vázquez en el cementerio del convento del Rosario un día del año 1635. Viéndole pobre y desabrigado, le preguntó de dónde era:

—Soy de las Españas, natural de Jerez de los Caballeros, reino de Extremadura —contestó con vulgar monotonía.

—¿Tienes algún oficio?

—No.

—Pues vente conmigo.

El Santo le llevó a su celda y le puso una camisa limpia.

—Vendrás todos los días aquí —añadió— a comer y dormir. Entre tanto mira qué oficio quieres tomar.

El chico, al no ver más amparo que el de aquel fraile, se decidió a quedarse con él. Mediante las lecciones teóricas y prácticas de Fray Martín, pronto aprendió el oficio de barbero, ensayando por primera vez en la persona del Santo, a quien rapó y afeitó (*Proceso* de 1660, cc. 221-2).

Este Juan Vázquez es el mismo que venimos conociendo y que entre otras cosas, vio suspendido en el aire a Fray Martín en su celda, a dos varas del suelo, en un momento de éxtasis.

Los pobres vergonzantes

El muchacho rogó más adelante a Fray Martín que le tuviese consigo y se convirtió en el más inseparable amigo de nuestro Santo, a quien seguía a todas partes como la sombra al cuerpo.

Fray Martín le utilizó, llegado el momento, para que le ayudase en un delicado aspecto de la caridad: la asistencia a familias necesitadas.

El caritativo Hermano tenía una larga lista de pobres que antes habían gozado de buena posición social y no se decidían luego a pedir limosna, sufriendo tanto más cuanto mayor era la diferencia entre su situación anterior y la necesidad de después.

Tratábase en su mayoría de viudas y huérfanos de españoles que habían ocupado cargos importantes en el ejército y en la gobernación, conservando demasiado vivo el orgullo que caracterizaba a los conquistadores y dominadores para rebajarse a mendigar en público. Preferían vegetar como fuera y hasta morirse de hambre en un rincón antes que atraer la atención sobre su lamentable situación, aunque habrían podido conseguir buenas ayudas.

A estos pobres vergonzantes, que nada pedían en público, había que socorrerlos de oculto, en silencio.

Si Fray Martín hubiese sido menos santo y, por tanto, menos humilde, habría podido hacer resaltar ante sus favorecidos que se habían cambiado las tornas, pues siendo él hijo de negra, la raza tan despreciada, proveía de lo necesario para subsistir a los orgullosos blancos. Pero no cabía imaginar semejante ruindad en un corazón como el del caritativo mulato.

Fray Martín se dolía de las grandes diferencias de fortuna y de posición social, pero no las atacaba, sino que las admitía como permitidas por Dios para sus fines, limitándose a hacer lo posible para que todos procurasen guiarse por sentimientos cristianos.

Del joven español amigo suyo se valía para no mortificar a las familias venidas a menos llevándoles él, un mulato, los auxilios que le era dado proporcionarles.

Entre los dos confeccionaron una lista de pobres vergonzantes a quienes socorrían regularmente una vez por semana con limosnas de dos, cuatro, seis u ocho reales.

Para allegar los recursos precisos iban de un lado a otro como miserables mendigos. Entraban en las casas de los más ricos potentados de Lima: comerciantes, propietarios, grandes señores, que tenían a gala recibir a Fray Martín y entregarle su contribución, pues su fama de santidad se había extendido por toda Lima y era enorme el prestigio de que gozaba.

Al mismo Juan Vázquez debemos lo que sigue:

"Ocupóme de primera instancia en dar a ciento sesenta pobres cuatrocientos pesos, que se repartían entre ellos de limosnas, los cuales buscaba Fray Martín, los martes y miércoles, porque el jueves y viernes lo que buscaba era aparte para clérigos pobres; porque las limosnas que juntaba el sábado se aplicaban a las ánimas, y porque no le alcanzaban a ver los que le buscaban, unos le dejaban la limosna y otros, no; se ocupaban en comprar frazadas para dar algunas a pobres negras y españolas: a unas, camisas y a otras frazadas; y cada uno en particular, de lo que necesitaba, le socorría antes de que se lo pidiese".

Viendo su hermana Juana esta generosidad, le pidió que le ayudase a completar la dote de su hija, que iba a casarse con el boticario Nicolás Beltrán. El Santo le dio palabra de hacerlo así. Enterado un amigo, le entregó una letra por valor de cuatrocientos pesos a cargo de un comerciante y Fray Martín adquirió géneros que distribuyó entre las familias más necesitadas de su lista.

Enterada de esto la sobrina, se lamentó al tío, quien le contestó:

—No te aflijas, que no te faltará plata.

Y así fue. Al día siguiente, le llevaron de su parte los cuatrocientos pesos (*Proceso*, p. 216).

Por habérsele acabado el dinero destinado a limosnas, acudió al Arzobispo, quien le entregó mil pesos; su amigo, el regidor D. Juan de Figueroa, le dio mil quinientos, un vestido de paño de Castilla y una pieza de rúan. Todos los del barrio se enteraron y al acercarse Fray Martín, le fueron entregando diversas cantidades, algunas de quinientos, trescientos y doscientos pesos, juntando en hora y cuarto, siete mil pesos, una verdadera fortuna, sin contar las piezas de rúan y cortes de paño.

Las negras fruteras y panaderas no querían ser menos y la recaudación subió pronto a diez mil pesos. El gremio de cirujanos y boticarios, que le consideraban de la profesión, no se quedó atrás y entre los donantes de este grupo cabe citar al doctor Villarreal, al cirujano Zúñiga, a los barberos Utrilla y Juan Crespo; y no se mostraron cortos Mateo Pastor de Velasco, su primer protector, que a instancias suyas había fundado el colegio de Santa Cruz para niños huérfanos; Gaspar Calderón, también boticario, y el cirujano Marcelo de Ribera. Sólo del gremio recibió dos mil pesos.

En total reunió el Santo doce mil pesos que repartió del modo siguiente: cinco mil pesos y la ropa para su sobrina; con el resto *"compró un negro* para el lavadero del convento y lo demás lo empleó en limpiar el sitio que hoy ocupa la carpintería —son palabras de Juan Vázquez— y en ropa para sus queridos enfermos".

Los presos

Tema delicado. Necesario es que haya cárceles y policías, pues de otra forma, no podría desenvolverse la sociedad, ni nadie podría trabajar en paz ni disfrutar de lo legítimamente adquirido o poseído. Pero a las cárceles no van sólo los malhechores y delincuentes de toda maña, sino que hay épocas en que las llenan hasta lo inverosímil —hasta no disponer más que de una franja de treinta centímetros de anchura para dormir—, individuos de opinión discrepante o que han figurado, tal vez involuntariamente y por mera geografía, en el bando opuesto. ¡Qué malo es que alguien se endiose y se crea dueño de la vida y hacienda de los demás! ¡Cuántos demonios y ángeles exterminadores hemos conocido en el siglo XX, sobre todo en la década del 36 al 46! Por muchos que hayan pagado con la vida sus crímenes, son muchísimos más los que, después de haber abarrotado cárceles, fábricas, conventos, escuelas, plazas, castillos y sótanos de casas particulares y de edificios públicos —convertidos en prisiones "provisionales"— por delitos de opinión, sostener criterios "heréticos" o pertenecer simplemente a otra raza, han terminado luego "paseados", "fusilados" o en una cámara de gas.

¡Cuántas víctimas inocentes de "unos" y "otros"!

En tiempos de nuestro San Martín de Porres había también presos. Presos comunes y presos por ideas. Por aquella época conocieron la cárcel el príncipe de los líricos españoles, Fray Luis de León, el genial D. Francisco de Quevedo y hasta los místicos S. Juan de la Cruz y Sta. Teresa de Jesús... Los presos por delitos comunes debían tener bastante más libertad, dentro de los muros carcelarios, que en tiempos muy posteriores y parece evidente que no le pegaban los centinelas un trabucazo al que se asomara por la reja de su celda o calabozo, porque yendo el Santo de paso o paseo por la ciudad, cruzó por delante de la cárcel, "a cuyas ventanas rejadas estaban asomados los presos, pidiendo a los transeúntes una limosna con las manos extendidas por entre los barrotes".

—¡Fray Martín! —gritaban—. ¡Tenga compasión de unos desgraciados!

Se detuvo el caritativo fraile, que, como siempre, iba de prisa, y quedóseles mirando con reflejo de infinita compasión. Debía pensar, como Concepción Arenal: "Odia el delito, pero compadece al delincuente". Nada tenía que darles. Su pobrísimo hábito, sus zapatos desgastados, a nadie podían servir. Pero una instantánea sonrisa iluminó su semblante:

—Esperad, hermanos —dijo—; ahora mismo vuelvo.

Acababa de dejar tras de sí una tienda de "viejo". Se acercó Fray Martín a la puerta y preguntó al tendero:

—¿Cuánto da su merced por este sombrero?

—Pase su Reverencia —le contestó el hombre.

Fray Martín se quitó el sombrero que, según hemos referido, nunca se ponía a la cabeza, sino que lo llevaba colgado a la espalda, pendiente del fiador, y lo puso sobre el mostrador.

—¡Pues! —dijo el tendero mirándolo detenidamente—. No vale más de dos reales de a ocho. Si vuestra Reverencia los requiere, bien. No doy más.

El sombrero pasó a hacer compañía a los demás objetos de la tienda. Con el dinero compró el Santo pan y lo llevó a los presos (Gaffney, *obra citada,* pág. 34).

Fray Martín veía en los presos al mismo Jesucristo, que se puso en el lugar de ellos cuando dijo: "Estuve preso y me visitasteis".

Muchas veces, el hombre perseguido como alimaña por otros, agentes legítimos o figurados de la autoridad, es una víctima que necesita protección.

El inseparable de nuestro Santo, Juan Vázquez, nos cuenta otro episodio de Fray Martín.

"Un día, a las dos y media de la tarde, entró D. Cristóbal de la Cerda, Alcalde de Corte de la Real Audiencia de Lima, a buscar a dos delincuentes, que estaban en los sótanos situados debajo de la cocina de la enfermería. Y entrando por la cocina principal al lavadero, se metieron en la huerta y prosiguieron el paso hacia el sótano.

"Los delincuentes que supieron que iban en su busca, subieron por la cocina de la enfermería y fuéronse a la celda del venerable Fray Martín, diciendo:

"—Padre, por amor de Dios, que nos socorra: que viene la Justicia tras nosotros y está ya aquí.

"—Vengan acá —respondió el siervo de Dios— e hínquense de rodillas y encomiéndense a Dios.

"Apenas lo hicieron cuando entró el Alcalde de Corte en la celda donde estaban arrodillados los tres: los delincuentes y Fray Martín. Puesto el Alcalde delante de ellos, sin verlos, dijo a los ministros:

"—Miren esos colchones, si están por ahí.

"Y eran los tres cuerpos los colchones. Y se salió de allí, visto que no había nada, cuando los tenía debajo de los pies" (Kearns, *obra citada*, pág. 123).

Cruzando otro día por delante de la cárcel, vio asomado a la reja de la capilla a un reo que habría de ser ahorcado en el plazo de unas horas.

Era un joven español llamado Juan González. Tenía veintidós años y había sentado plaza para ir a Chile; pero luego, arrepentido, sin duda, se fugó y se acogió al sagrado del convento del Rosario.

El Santo le protegió y le aconsejó que no saliera del recinto conventual porque podría caer en las manos de los agentes de la Justicia.

No siguió el consejo y al fin vino a suceder lo que temía Fray Martín.

Viéndose perseguido por el jefe de los alguaciles, un tal Francisco Núñez, le hizo frente y le derribó en tierra. Ya tenía Juan González la daga en alto para clavarla en el vencido cuando éste le gritó:

—Por amor de Dios y de la Santísima Virgen, no me matéis, que estoy en pecado mortal.

González le perdonó la vida; pero en esto llegaron los otros esbirros y el "barrachel" Francisco, le hizo preso y le condujo a la cárcel. Fue sentenciado a muerte de horca el 17 de marzo.

Enterado Fray Martín de lo sucedido a su "protegido", acudió a la cárcel con el pretexto de pasear, y cruzó por delante de la reja a la que se asomó el reo.

—Fray Martín —exclamó—: encomiéndeme a Dios para tener una cristiana muerte.

—Así lo haré, hijo mío —respondióle el Santo.

Para darle más ánimos, estuvo hablando con él largo rato y luego se alejó dejando al joven más animado y resignado a morir.

Pasado algún tiempo, le envió el Santo una carta por medio de un negro, diciéndole que tuviese buen ánimo, pues aunque estaba dada la sentencia definitiva, no moriría en aquella ocasión.

Poco después los alguaciles fueron a buscarle y lo condujeron al lugar de la ejecución. Cuando se hallaba junto a la horca levantada sobre el tablado, en el centro de la Plaza Mayor, entre los insultos de la multitud y vio dispuestos un par de verdugos, dudó de la palabra del siervo de Dios. Un sudor frío le corría por el rostro y quedóse clavado con espanto al poner el pie en el primer peldaño, debiéndosele empujar para subir los escalones. Mas apenas había subido media docena de peldaños, cuando resonó en todo la plaza un griterío ensordecedor y atronadores aplausos con vivas a la Virreina. Era la condesa de Chinchón, que asomada a una ventana del palacio, agitaba, sonriendo, un pañuelo blanco en señal de indulto.

Juan González se encontró libre, pero con gran incertidumbre ante su porvenir. No tenía dinero y el haber estado en la cárcel sería un obstáculo para hallar colocación. Fray Martín se ocupó de todo y, oído el deseo de González de irse a Panamá, el Santo le entregó veinte pesos de a ocho reales para el viaje (Kearns, *obra citada,* págs. 50-51).

VI. INNUMERABLES CARISMAS DE DIOS

Taumaturgo

Sobradamente vamos viendo que la generosidad de Fray Martín para con Dios tenía espléndida correspondencia de lo Alto para con él. Pocos hombres han gozado en vida de tantos carismas de Dios como Fray Martín de Porres. Llegado a la parte central de su existencia, empezó a conocer especialísimos favores divinos que fueron en constante *crescendo* hasta su muerte.

Su merecida fama de santidad saltó del convento del Rosario a toda Lima, de ésta al Perú entero y demás territorios españoles, yendo acompañada la portentosa santidad por otra no menos portentosa taumaturgia. De esta forma, la nueva conquista americana de la Iglesia empezó a tener su propio vergel con figuras como Sta. Rosa de Lima, el Beato Juan Macías, S. Felipe de Jesús, S. Pedro Claver y nuestro S. Martín de Porres. El viejo solar cristiano ibérico, donde brillaban los mejores sabios, los mayores genios militares, los literatos y pensadores más ilustres, los juristas, teólogos y sabios más afamados y los santos más preclaros del universo, tenían una magnífica continuación en las vírgenes tierras del Nuevo Mundo.

En los últimos años de su vida, San Martín de Porres, por concesión de Dios que pagaba en este mundo la caridad sin límites de su generoso siervo, aparecía éste dueño de las cosas, de los animales y de la suerte de muchas personas. Era el mayor taumaturgo aparecido en el nuevo solar cristiano para gloria de Dios y prestigio de la civilización cristiana del Nuevo Mundo.

Fray Martín realizaba muchas curaciones de enfermos. Su sistema tenía mucho de psicológico, con indudable influjo sugestivo sobre los pacientes, a lo que se añadía su intuición y cierta experiencia acerca de numerosos medicamentos contenidos en las plantas. Dada su pericia personal, gran parte de sus acciones curativas y de sus diagnósticos sobre el desarrollo de las enfermedades, no requerían ningún factor milagroso. Pero hay otros hechos que no tienen fácil explicación fuera de una gracia carismática otorgada por Dios a quienes invocaban al Santo en sus trances de apuro. Con ello quedaba premiada la fe pedida por él a los que remediaba. Otros hechos, parecen participar de los aspecto científico y *carismal* inseparablemente.

Citaremos algunos ejemplos sacados del Proceso de Beatificación si bien no cabe resumir en un solo capítulo todos los portentos obrados por el Santo, ya que éstos se encuentran a lo largo de toda su existencia.

* * *

La caridad de Fray Martín le llevó hasta sembrar manzanilla en los montes para medicina de los pobres, y plantar árboles frutales a la vera de las veredas y caminos para los hambrientos, sin que tuviesen necesidad de "robar" en los cercados de propiedad particular, obteniendo unos resultados tan prematuros como realmente asombrosos.

* * *

En la chácara de un español llamado Francisco de Cáceres Manjarrés, curó a una negra muy achacosa por un flujo de sangre, ya oleada, mediante el cocimiento de tres sapos, luego pulverizados, que envolvió en un trapo y colgó en la cintura de la enferma diciéndole:

—Hija, yo te curo y Dios te sane.

* * *

Un mayordomo de la hacienda de Palpa, llamado Pedro Guerrero, estaba en la celda de S. Diego, muy enfermo, desahuciado por el médico.

Llegó Fray Martín y dijo al doctor que la enfermedad de aquel hombre no era nada.

—No tiene de vida más de veinticuatro horas —respondió el doctor.

—Esas necesita solamente para ir a pasear —replicó el Santo.

Y así fue, pues al cuarto día el hombre estaba completamente bien.

* * *

—Hallábase gravemente enfermo un tal Villarreal, íntimo amigo del Santo. El paciente, ya desahuciado por los médicos, no quería morir sin antes ver a Fray Martín.

Cuando el Santo acudió a su casa, halló a la esposa del enfermo, a sus hijas y personas de la vecindad muy afligidas. Entró en la habitación del paciente y le dijo:

—Amigo mío, ¿qué es esto?

—Morir, Padre —contestó él.

—Pues, amigo, dadle gracias a Dios, que para morir nacimos.

Dirigiéndose a la mujer, le preguntó:

—¿Le habéis dado algún desayuno al enfermo?

—No lo puede ya llevar —respondió la cuitada.

Fray Martín mandó sacar unas almendras y dijo que él le haría comer, que no era nada su enfermedad. El mismo hizo un almendrado con pepitas de melón, y dijo a Villarreal:

—Amigo, para morir nacimos; pero es de fe que el que no come, se muere. Mirad cómo como yo.

Luego ordenó a la mujer que levantara la cabeza de su marido y le dio la almendrada a cucharadas.

Al irse, manifestó:

—Hoy es sábado. El martes, si Dios quiere, me ha de ir a ver.

Y así fue, en efecto.

* * *

Estaba en cama cierto cirujano apellidado Zúñiga. El enfermo mandó a llamar a Fray Martín.

Viéndole entrar, dijo el paciente:

—Yo, Padre, muy malo me siento y conozco que esta enfermedad es mi muerte.

—Téngalo así entendido —respondió Fray Martín— y déle muchas gracias a Dios por las mercedes que le hace, que en otro peor tiempo le pudiera coger. Disponga su testamento, que mañana a estas horas ha de haber dado cuenta a Dios.

* * *

Cierto día, al llegar Fray Martín y Juan Vázquez a la plazuela de S. Lázaro, salieron de una casa dando voces diciendo:

—¡Un muchacho se ha roto las piernas al caer de un techo!

Entraron los dos amigos y vieron que la madre tenía en las faldas a su hijo con las piernas quebradas por los muslos.

—No hay que afligirse, señora —dijo Fray Martín.

—¿No me he de afligir, Padre —respondió la mujer— si no tengo con qué curarle y se ha de morir de esto?

—No se aflija —repitió el Santo—, que Dios da la llaga y la medicina. No es esto enfermedad de peligro.

—¡Pero si tiene las dos piernas quebradas —repuso la mujer— y por bien que se quede no podrá mantenerse en pie!

Fray Martín pidió un poco de vino.

—Entiendo —dijo—; y hagan de una sábana dos vendas, que yo se lo curaré y no será nada, mediante el favor de Dios.

Lo curó y al poco tiempo estuvo completamente bien.

* * *

Un comerciante devoto del Santo, tuvo que ir a Nueva España y cayó enfermo en la ciudad de

México. En la cama se acordaba de su amigo y le decía en tono lastimero:

—Padre mío, Fray Martín de Porres: si estuvieseis aquí, me curaríais, me sanaríais y consolaríais.

Bruscamente le espabila el golpe de la puerta, que se abre, viendo con ojos sorprendidos a Fray Martín, que con muestras de regocijo se acerca a su cama. Sin salir de su asombro, le pregunta el hombre:

—¿Cómo ha venido vuestra Reverencia?

—Acabo de llegar —le responde sonriente.

—¿Está en el convento de Predicadores?

—Sí —dice, y añade, amenazándole con el índice—. ¿Qué es esto? ¿Queríase morir? ¡Oh, flojo, flojo!

Saca varias medicinas y se las ofrece.

—¡Ea, anímese, que de esta vez no morirá!

Días después, el comerciante se hallaba perfectamente repuesto. Fue al convento dominicano de la ciudad para devolver la visita al Hermano, pero allí le dijeron que no conocían al tal religioso. Tampoco le halló en ninguna posada de la ciudad.

Al regresar a Lima, acudió a la celda de San Martín, quien lo recibió con los brazos abiertos:

—¿Queríase morir? ¡Oh, flojo, flojo! —le repitió.

El caballero se enteró de que Fray Martín no había realizado ningún viaje, fuera del Callao y de Limatambo, por lo que salió más convencido aún de la santidad de su entrañable amigo.

* * *

El zapatero del noviciado —un viejo donado negro— tenía una herida crónica en un brazo y fue a ver a Fray Martín un día que no podía resistir el dolor.

Miróle el brazo malo el Santo, le hizo con saliva una cruz sobre la inflamación, que supuraba, y le dijo sonriente:

—Ea, buen ánimo, hermano, que luego estará bueno.

Tomó a continuación un zapato viejo. Cortó un trozo de cuero y se lo puso sobre la herida con una venda.

Al despertar el viejo donado al día siguiente, notó que le había desaparecido el dolor y que en el brazo sólo se veía una pequeña cicatriz.

Reconocido, fue a dar gracias al enfermero y viéndole el calzado viejísimo, le ofreció hacerle un par de zapatos nuevos.

—Nuestro Señor, hermano, es el que le ha salvado y así debe las gracias a su Majestad. Entregue por limosna a un pobre el calzado que pensaba hacerme, que es gran cosa socorrer necesitados (*Proceso*, p. 307).

* * *

A D. Joaquín de Figueroa, capitán, regidor y familiar de la Inquisición de Lima, hombre muy rico y amigo del Siervo de Dios, se le infectó una encía, inflamándosele la boca hasta quedar en "apostema". Hubo de guardar cama y fue a verle Fray Martín. Antes de marcharse, dejó en la habitación un jarro de barbero con agua, y añadió:

—Ya es hora de irme a casa. Quédese hasta mañana aquí este escalfador.

Cuando se hubo marchado el Santo, creyendo el enfermo que habría algo especial en el jarro, ordenó a su criado que se lo llevara, pero vio que sólo contenía agua. Con todo, confiado el enfermo en las virtudes del religioso, se enjuagó el lado que tenía malo, y al punto se le quitó el dolor, desapareció la inchazón y se resolvió el apostema, sin quedarle ningún achaque.

El hombre hizo público el prodigio y una vecina que tenía "empeine" tomó un poco de agua del mismo jarro y se la aplicó a la parte enferma, exclamando de pronto:

—¡Jesús, que se me ha quitado el empeine!

* * *

El Padre Fray Pedro Montes de Oca, tenía muy mala una pierna.

Por una niñería propia de enfermo, se enojó con el Santo y le llamó "perro mulato". Fray Martín estaba acostumbrado a tales insultos y no se molestaba por juzgar que los merecía. Por lo mismo, salió sonriendo de la celda.

Volvió al anochecer con aire festivo y alegre con una ensalada de caparras, y le dijo:

—Ea, Padre mío, ¿está ya desenojado? Coma esta ensalada que le traigo.

El Padre había estado deseándola todo el día, pues era lo único que le apetecía. Se dio cuenta de que por la mañana había insultado a un santo varón y le pidió perdón por sus desconsideraciones. Después le agradeció el regalo.

A continuación le pidió que se compadeciera de su mal, pues al siguiente día habrían de cortarle la pierna enferma.

El santo mulato se acercó a él, le vio la pierna y le puso con cuidado las manos sobre ella, quedando al momento sano de su mal el Padre Pedro de Oca.

* * *

Nuestro Santo fue a ver a doña Isabel Ortiz de Torres, que padecía un flujo de sangre e hipocondría.

San Martín dijo a la madre de la enferma que tuviera gran confianza en Dios, que su hija no moriría de aquella enfermedad.

Luego se acercó a la paciente, la abrazó, arrimó su rostro al de ella, para darle ánimos, y le dijo palabras de aliento. Ella le dijo:

—Padre Fray Martín, encomiéndeme a Dios y no deje de visitarme.

El Siervo de Dios repitió por tres veces:

—Vuestra merced no morirá de esta enfermedad, pues aunque está desahuciada de los médicos de la tierra no lo está del médico del cielo.

A los cinco días estaba en pie y fuera de peligro. Ella lo atribuyó al contacto del rostro del Santo.

Médico de almas

Fray Martín no sólo se preocupaba de los cuerpos, ejerciendo las obras de misericordia tan ponderadas por el Señor. Aun se desvelaba más por las almas y sabía ejercitar su apostolado de variadas formas conducentes a rescatarlas del pecado.

Cierto día, un hombre se encontró con Fray Martín en el claustro de la enfermería del convento. El Santo trabó conversación con él, entreteniéndole con pláticas espirituales. Duró la conversación unas tres horas, terminando sobre las cinco de la tarde.

Salió el caballero y al llegar a la esquina del cementerio del convento, corrió hacia él, muy asustada, una negra, criada de la señora a cuya casa había tenido el hombre intención de ir para pasar la tarde en su compañía. Entre sollozos le dijo que se había derrumbado la casa y hecho pedazos la cama.

El caballero volvió a dar las gracias a Fray Martín por haberle librado de la culpa y de la muerte.

El Santo se limitó a hacerle algunas observaciones y recomendarle que en lo sucesivo procurase enmendar su vida (*Proceso*, p. 209).

Refiere el Padre Fray Juan de la Torre que "en la noche que el enemigo vino a este Reino —aludía al pirata holandés Jorge Spilbergern, que se presentó en el Callao con cuatro navíos de guerra— entre algunos extranjeros pechelengues (piratas herejes) que quedaron en esta ciudad, fue uno llamado Esteban, tenido por cristiano y se casó".

Llevaba tres días de agonía en el hospital de San Andrés cuando, pasada la medianoche, se presentó Fray Martín, "a toda prisa", y dijo al enfermo:

—Pues ¿cómo es esto? ¿Estaba sin bautizar y quería morir?

Le habló tantas cosas en orden a su conversión, que la consiguió, y Esteban pidió el bautismo.

El Santo corrió en busca de un sacerdote para que bautizase y casase al enfermo. Una vez recibidos los Sacramentos, murió.

Resurrección de un muerto

Al R. P. Fray Fernando Aragonés, que había sido antes Hermano Cooperador, debemos el relato que sigue acerca de un caso realmente impresionante, del que fue testigo presencial, como compañero que era en la enfermería, según hemos indicado anteriormente, de nuestro S. Martín de Porres. Sin duda, no necesita ningún comentario.

"Había en la celda de la enfermería un religioso enfermo que tomaba unciones. Era fraile antiguo, que había trabajado mucho en la orden y llevaba una vida ejemplar.

"Cautivado el siervo de Dios Fray Martín por la virtud del enfermo, le mostraba su afecto en regalarle, servirle y visitarle. Y había puesto a su servicio a un mozo español (¿Juan Vázquez?) para que le cuidase de día y de noche.

"Un día, a eso de las nueve o diez de la mañana, el mozo metió unas brasas de candela para calentarle una mazmorra (bizcocho de polvo de galleta) y unas yemas de huevo, quc era su comida de todos los días.

"Habiéndosela dado a comer, sacó las brasas y le dejó solo hasta la una del día, en que volvió. Y halló muerto al enfermo.

"Viéndole sin vida, salió corriendo y se lo dijo a Fray Martín, que estaba conmigo en la ropería. Fuimos juntos y le hallamos muerto y frío.

"Entonces el siervo de Dios mandó al enfermero menor que tocase "las tablas" [1] para que viniese

1 Especie de carraca, que se toca para convocar con prontitud a los religiosos para que asistan con sus oraciones a la agonía de los hermanos, única ocasión en que se utiliza.

la Comunidad, la cual acudió y le empezaron a rezar el salterio.

"Fray Martín cerró la puerta, estiró el cuerpo y lo descubrió para amortajarlo, y tomó el hábito para vestírselo. Mas, antes de ponérselo, hizo oración a un santo Crucifijo que estaba en la cabecera del difunto. Y, mientras oraba, yo me retiré y estuve parado arrimado a una mesa.

"Acabada la oración, el siervo de Dios se llegó al oído del difunto y le dio una voz, diciendo:

"—¡Fray Tomás!

"A este grito, primero respiró como quien echa una ventosidad del vientre por la boca. Fray Martín, vuelto hacia mí, me dijo:

"—Fray Fernando, vivo está.

"Yo le dije: A mí no me lo parece.

"Y volvió a llamarle por segunda vez. Y respiró como cuando una persona está en las últimas boqueadas, que al resollar mueve un poco la lengua y los labios.

"Volvió a llamarle por tercera vez, entonces "azezó" recio. Y dijo el siervo de Dios:

"—¿No ve que está vivo?

"Y tapó el cuerpo. Yo le dije: Poderoso es Dios para dar vida a los muertos.

"Fray Martín salió a la puerta y dijo a la Comunidad que se fuese, que el enfermo ya había vuelto en sí. Yo pensé para mí que había dicho bien; pero que había vuelto de la otra vida a ésta.

"Luego me dijo:

"Tráigame tres yemas de huevo frescas y calientes.

"Cuando las traje, sólo veía que el enfermo estaba vivo por el movimiento de los ojos y de la boca. Porque se hallaba inmóvil y sin sentido, que parecía no veía ni entendía.

"Dióle las yemas de huevos, haciendo muchas diligencias para que las pasase. Y se quedó con él, atendiéndole, sin apartarse de su lado hasta que estuvo en su entero juicio y salud completa. Y se levantó.

"Todo lo cual yo tuve por conocido milagro. Aunque por entonces callé por el ruido que pudiera causar.

"Dios permitió que lo callase por entonces para decirlo ahora en esta ocasión" (*Proceso de Beatificación*, pp. 133-4).

Don profético

El mismo Fray Fernando Aragonés cuenta algunas curaciones que él obtuvo por mediación de Fray Martín y nos da, además, testimonio de una doble profecía del Santo relativas a su persona, que tuvieron exacto cumplimiento.

* * *

Con motivo de una gran crecida del río Rimac, ocurrida el año 1634, que se salió de su cauce y causó una desoladora inundación, después de romper los murallones de defensa, amenazando sembrar ruina y desolación en gran parte de la ciudad.

Desde el convento vio Fray Martín que las aguas habían llegado ya a la iglesia de Nuestra Señora de las Cabezas, situada al otro lado del río. Apresuradamente corrió al lugar donde encontró a la gente preocupada por salvar lo que fuera posible, especialmente la imagen de la Virgen que en ella se veneraba.

Fray Martín calmó a la multitud, que temía ver derrumbarse el edificio de un momento a otro. Luego tomó tres piedras, en honor de las Tres Personas de la Sma. Trinidad, y las arrojó: una río arriba, otra al centro de la corriente, y otra río abajo. Y en seguida comenzaron a retirarse las aguas hasta ocupar tan sólo el cauce natural. La iglesia de Nuestra Señora quedó en pie.

Pero los vecinos, temiendo la repetición del hecho, propusieron cambiar el santuario de emplazamiento y levantarlo de nuevo en sitio más elevado donde no pudieran alcanzarle las aguas.

—No hagan tal —dijo Fray Martín—. La iglesia de Nuestra Señora ha sido levantada en el sitio en que debe estar. Jamás volverá el Rimac a amenazarla.

Hasta el día de hoy, se ha cumplido la profecía de S. Martín de Porres.

Dominio sobre los animales

San Martín había llegado en la última etapa de su vida a un grado de inocencia comparable a la que debía tener el primer hombre antes del pecado original, cuando le obedecían los animales y las fuerzas de la naturaleza. Parecía el rey de la creación por serlo de la caridad. Siendo en parte de una raza despreciada complacíase Dios en hacer ver que para El no existen esos mezquinos distingos.

Mucho nos gustaría extendernos sobre los asombrosos hechos que demuestran el dominio concedido por Dios a su fiel Siervo sobre las criaturas irracionales, pero nos limitaremos a lo más preciso por exigencias de la extensión de la presente obrita.

Fray Fernando Aragonés, compañero enfermero de Fray Martín, nos refiere que paseando los dos por un patio detrás de la enfermería, oyeron unos maullidos lastimeros. Un gato se limpiaba en un quicio de la puerta, con las patas untadas de saliva, la sangre que le brotaba de la cabeza por efecto de un sartenazo que le habían propinado.

—Véngase conmigo —dijo Fray Martín al animal— y le curaré, que está muy malo.

El gato obedeció y el Hermano se lo llevó a la ropería. Puso al felino encima de su cama. Le cosió la herida y le vendó la cabeza, pareciendo que llevase un gorrito de dormir. Luego le dijo Fray Martín:

—Váyase y vuelva por la mañana, y le curaré otra vez.

Al día siguiente fueron muchos los religiosos que, habiendo acudido para presenciar la cita del gato con Fray Martín, vieron aparecer puntualmente al gato herido, que se detuvo en la puerta de la celda del mulato, por hallarse éste ausente.

En lo sucesivo el minino aquel se encargó de despertar a Fray Martín de manera invariable al rayar el alba, con un largo y repetido maullido, no cesado hasta que veía despierto al Siervo de Dios.

Según otro testigo, D. Francisco Pérez, que vivió quince días en la celda de Fray Martín, todas las noches, por la ventana de la celda que daba al claustro de la enfermería, entraba un gato grande de tres colores: blanco, negro y pardo; y se llegaba a Fray Martín de Porres, y con las manos empezaba a tirarle del hábito, como haciéndole señas de que ya era hora de algún ejercicio (*Proceso*, p. 264).

* * *

Se hallaba el Santo otro día paseando por el claustro de la enfermería con algunos enfermos, cuando vio ir hacia ellos un enorme mastín dando sordos y quejumbrosos aullidos.

El animal llevaba una doble herida que le atravesaba el vientre, de la que manaba sangre en abundancia. Seguramente había querido morder a alguien y éste le había atravesado con su estoque.

El perro empezó a moverse con zalamería, se echó al suelo con el hocico pegado a los baldosines y miró de reojo al bendito enfermero, mientras éste le reprendía por haber acometido a un hombre. Luego le cogió de la oreja y le llevó a su habitación; donde le lavó con vino la herida, le dio unos puntos y le mandó con imperio que no se moviera de la cama de pieles que le había preparado. Al cabo de unos días, estaba completamente curado (*Proceso*, p. 88).

* * *

El Padre Procurador Fr. Juan de Vicuña, tenía un perro viejo y sarnoso de más de dieciocho años, que resultaba molesto por el olor que despedía. Mandó a los negros de la cocina que lo matasen y así lo hicieron. Cuando lo llevaban arrastrando para echarlo en el muladar, les salió al encuentro el Siervo de Dios.

—¿Se ha muerto él o lo han matado? —preguntó.

—Lo hemos matado por orden del Padre Procurador —respondieron.

—¡Qué poca caridad! Llevadlo a mi celda.

Fray Martín cerró la puerta y resucitó al perro. Al día siguiente lo sacó sano y salvo a darle de comer en la cocina de la enfermería y le ordenó que no fuese a la Administración donde estaba el P. Procurador.

El perro iba a comer a la enfermería y luego se acostaba en la cama que Fray Martín le había dispuesto (*Proceso*, pp. 157-8).

* * *

Todos cuantos presenciaban cómo se dejaban persuadir los perros y gatos por las palabras de San Martín y comían en paz unos y otros, no podían por menos que maravillarse.

Sucedió una vez que en el sótano de la enfermería buscaron asilo para dar a luz a sus cachorrillos una gata y una perrita.

A Fray Martín se le figuró que los animalitos pasarían hambre por no determinarse a dejar sus crías, y todos los días les llevaba sopas en un plato para las dos.

Al ponerlo en el suelo, les decía:

—Venid a comer en paz y buena armonía.

Así lo hacían, dando pronto buena cuenta de lo que les ponía para comer.

Un día acudió al olor un ratón. Se quedó mirando desde su agujero, sin atreverse a acercarse. El animalito pensó que si no podía participar de las sopas, podría hacerse con alguna cría.

Fray Martín adivinó sus intenciones y lo llamó:

—Hermano, no te metas con los pequeños. Si tienes hambre, puedes comer sin reparos.

El ratón se acercó al plato y metió el hociquito en el mismo, sin que le molestaran la gata y la perra, las cuales siguieron comiendo como si no hubiesen tenido junto a sí el nuevo huésped (*Ad novas*, XII, pp. 68-70).

* * *

Una vez llevaron al convento cuatro becerros bravos para lidiarlos en el patio del estudiantado, a fin de complacer la afición de los religiosos jóvenes, a los que se les había puesto los dientes largos oyendo ponderar la corrida que se había celebrado en Lima en honor del nuevo virrey del Perú, Conde de Chinchón.

Para aumentarles la fiereza, los tuvieron varios días sin comer.

Al tercero o cuarto día, compadecido Fray Martín de su suerte, a deshora de la noche, y sin que nadie supiera por dónde entrara, estuvo en medio de ellos, con unas brazadas de hierba fresca y unos cubos de agua. Los animales se avalanzaron sobre la comida y el más grande corneaba a los demás.

Fray Martín le agarró por uno de los cuernos, lo sujetó y empezó a darle suaves palmadas en el testuz, diciéndole al mismo tiempo:

—Estése quieto, que hay para todos, y no abuse de su poder.

Luego, desapareció el Hermano de tan misteriosa manera como había entrado. Esto lo sabemos por el Padre Diego de la Fuente, que estaba a aquellas horas preparando un sermón y lo vio todo por la ventana de su celda (*Proceso*, pp. 137 y 174).

* * *

Pero lo más sorprendente, quizás, es lo ocurrido con unos ratones.

A un viejo hospedado en la ropería, le royeron las medias los ratones. El hombre colocó una trampa y al día siguiente halló en ella un ratoncillo, al que se disponía a matar cuando llegó el Hermano, que lo impidió.

Fray Martín cogió el ratoncillo, lo puso en la palma de la mano izquierda y le dijo muy en serio:

—Vaya, hermano, y diga a sus compañeros que no sean molestos ni nocivos, que se retiren todos a la huerta, que yo les llevaré allá el sustento de cada día.

Cuando al día siguiente se dirigió el mulato a la huerta con sobras de comida, se le acercaron los ratones confiados.

A partir de entonces, el espectáculo podía presenciarse todos los días (*Proceso*, p. 137).

* * *

Parece ser que estos pequeños animalitos, tan poco queridos por los hombres, están muy reconocidos al "Padre de la Caridad" y le permanecen obedientes aun después de muertos. Son muchos los que creen que cuando los ratones amenazan en convertirse en plaga, basta invocar a San Martín de Porres para verse libres de ellos.

También los ratoncillos responden con amor al amor.

VII. JUICIO CERTERO DE LOS HOMBRES

Amistad con el Virrey

No todos los Santos y hombres ilustres consiguen que reconozcan sus contemporáneos las grandes cualidades que les adornan y que los tengan por lo que son. Sin embargo, al humilde frailecito dominico de tez morena y rasgos afronegroideos le hicieron justicia al final de su vida: se exaltó su humildad, se alabó su caridad, se ensalzaron sus mortificaciones y se le acompañó en su generosidad y abnegación por los necesitados.

Toda Lima, desde el Virrey hasta el último negro veían en Fray Martín de Porres un Santo de cuerpo entero, y como tal lo reverenciaban y trataban.

Dios hacía que la grandeza humana se sintiera ennoblecida reverenciando a un mulato en quien brillaba la majestad divina; y los que nada eran en el mundo comprendían con el ejemplo del Santo que podían ser muy grandes ante Dios, único que aprecia las cosas en su justo valor.

El virrey era, desde luego, la suprema autoridad del extenso territorio peruano, sólo sujeta a la del Rey de las Españas.

Coincidiendo con el período en que ya estaba consolidada la aureola de santidad del dominico mulato, ocupó el alto cargo político D. Luis Jerónimo Fernández de Cabrera y Bobadilla, Conde de Chinchón. Este Virrey oía hablar encomiásticamente del Siervo de Dios, de sus hechos extraordinarios y de su inagotable caridad; de su obra cristiana y social, una muestra de la cual era el hospital para niños de ambos sexos instituido a instancias suyas por D. Mateo Pastor.

El Conde de Chinchón iba con frecuencia a ver al Siervo de Dios, tomó bajo su protección el hospital-hospicio fundado por Fray Martín y cada mes le entregaba en propia mano no menos de cien pesos para sus caridades.

Consejero universal

Eran muchos los que acudían a consultar a Fray Martín, tanto para las cosas del espíritu como de la política, de la administración y de diferentes órdenes de cosas.

Primeramente lo hicieron los novicios, a quienes sabía entusiasmar con el noble ideal de servir a Dios en la Orden, si bien tampoco tenía inconveniente en disuadir a los aspirantes que no reunían las cualidades necesarias o no era presumible que tuviesen vocación para abrazar el estado religioso.

Los que acudían a Fray Martín en busca de consejo no lo hacían sólo, como acabamos de decir, para los problemas de índole espiritual. Según el Padre Barbazán "acudían a él, como a oráculo del Cielo, los prelados, por la prudeneia; los doctos, por la doctrina; los espirituales, por la oración; los afligidos, para el desahogo. Y era medicina general para todos los achaques" (*Ad novas*, VII, p. 76. *Proceso*, pág. 110).

* * *

Entre quienes consultaban al Siervo de Dios en todos sus asuntos estaba el regidor D. Juan de Figueroa, muy amigo y devoto del Santo, por haberle curado éste milagrosamente de una grave enfermedad. El tal regidor había pedido a España el título de "Familiar de la Inquisición" y tardaba en llegar más de lo debido.

—No le dé cuidado —respondióle Fray Martín— que ya vienen los despachos.

El mismo regidor quiso comprar el oficio de Ensayador y Fundidor Mayor de la Moneda en Potosí, pero se opuso el virrey. Consultó entonces a Fray Martín y éste le dijo:

—Tenga prevenida su plata, que el oficio ha de ser suyo.

Pasados dos años, una Cédula Real mandaba que se diese el empleo al mejor postor. Y lo adquirió él.

* * *

Era corriente entre la gente ir al venerable Hermano para pedirle que les encomendara en sus oraciones.

D. Baltasar Carrasco de Orozco, abogado de la Real Audiencia de Lima cuenta que le pidió que lo prohijase de tal manera que él le pudiera llamar "padre".

—¿Para qué queréis tener a un mulato por padre? Pues yo mulato soy. Eso no parece bien.

—Será a mí, que soy español —replicó Carrasco— a quien digan que tengo padre mulato. Pero a usted no le dirán sino que tiene un hijo español.

Aunque el siervo de Dios no quiso acceder, pasados dos años, cierto día, después de comulgar Fray Martín con la comunidad, abrazó a D. Baltasar, llamándole hijo. Y añadió en tono festivo:

—Y como vos sois mi hijo, vuestros hijos son mis nietos.

Esto sucedía en 1628 (*Proceso*, pp. 231-34).

Prestigio excepcional

Podría formarse un volumen con los elogios que los religiosos, las dignidades y la gente del pueblo prodigaban a Fray Martín. Este inspiraba en cuantos le trataban un respeto rayano en temor por su espíritu de observancia y por la austeridad y santidad que trascendía de toda su persona.

Expondremos algunos ejemplos, a manera de muestra.

El Padre Fray Fernando Aragonés, a quien tanto hemos mencionado y citado, resumía así el concepto que se había formado del Santo:

"Como tenía a Dios tan vivamente en su alma, nada le era dificultuoso. Y se echaba de ver en su mucha virtud, santidad y paciencia, sufrimiento, humildad y ardientísima caridad, en que fue extremado, de la cual parece imposible tratar, porque no tiene bastante encarecimiento ni ponderación ni palabras la elocuencia humana.

"Perfeccionóse mucho en todas las virtudes los años que pasó en religión, que fueron muchos, viviendo siempre con una sed insaciable de obrar mucho en el servicio de Dios. Y así eran su fe y esperanza y caridad tan encendidas, y su alma una lámpara tan encendida de fervorosos afectos y crecidas obras que gastó toda su vida en servicio de Dios y utilidad de la salud de sus prójimos, sin quedar diligencia que no pusiese para ello en práctica. Y, así, todos los frailes, indios y negros, chicos y grandes, todos le tenían por padre, por alivio y consuelo en sus trabajos" (*Proceso*, pág. 159).

Por su parte el P. Fray Francisco de Arce nos dice:

"En la virtud de la fortaleza, Fray Martín fue muy constante; y tan sufrido que, en todos sus achaques y enfermedades, fue muy paciente y humilde, llevándolos con equidad de ánimo por amor de Dios y conformidad con su voluntad divina, y como si no padeciera nada. Muchos años continuos padeció una enfermedad de cuartanas, que llevaba en pie lo más del tiempo con mucha paciencia y sufrimiento" (*Proceso*, pág. 229).

Este mismo religioso añade:

"Como hombre de mucha virtud y santidad y de mucha penitencia, le estimaban y querían y hacían mucho caso de él los Prelados, así provinciales como priores del gran convento de Nuestra Señora del Rosario, de la Recoleta de Santa María Magdalena y del Callao. Y todos los demás religiosos le estimaban y tenían en gran veneración" (*Proceso*, pág. 225).

* * *

El Padre Fray Antonio de Estrada refiere un suceso que denota muy a las claras la reputación de que gozaba en la Comunidad el Siervo de Dios.

"Cierto Prelado —Provincial—, para mortificarle y también para probar su espíritu y conocerle, dio a Fray Martín algunas reprensiones gravísimas de que se siguió algún escándalo y sentimiento grande en la Comunidad, por ser tan querido y estimado.

"El Santo, con grandísima humildad, se echó a los pies del prelado, besándoselos muchas veces:

"—Ahora conozco el buen celo de Vuestra Paternidad —dijo— y el mucho amor que me tiene, pues trata a este perro mulato como merece" (*Proceso*, pág. 208).

Venerado

El Excmo. y Revmo. Sr. D. Fray Juan de Aguinao, arzobispo del Nuevo Reino de Granada, habla como sigue de la santidad de Fray Martín:

"En lo adverso de esta vida mortal, siempre vi al venerable Fray Martín de Porres con un mismo semblante, sin que lo próspero le levantase ni lo adverso le deprimiese o contristase; de lo cual se seguía que en las adversidades, acaecimientos y enfermedades, siempre se mostraba pacientísimo, conformándose con la voluntad de Dios, que era su norte y guía" (*Proceso*, pág. 259).

A veces se presentaban situaciones con aspectos cómicos, como la que refiere el P. Fray Juan de Vargas Machuca:

"Hallándome en compañía del P. Fray Bernardo Márquez en una dependencia del convento, le sobrevino repentinamente un gran dolor de estómago, por cuyo motivo pidió que llamasen al Santo enfermero. Acudió éste. Y para que no se marchase antes de que le curase del todo, conociendo las maravillas que ha obrado por su mano la Majestad de Dios, me pidió que cerrase la puerta y echase la llave y se la diese. Así lo hace.

"Fray Martín quiso salir:

"—¿Quiere abrir su Reverencia la puerta? —le rogó.

"—No le abro, Fray Martín —le respondió— mientras no me cure.

"—Ponga la cama entre la puerta y la ventana al aire. Y descansará bien esta noche.

"El enfermo lo tomó al pie de la letra, abrió la puerta y dejó salir al enfermero. Luego se acostó y durmió hasta el día siguiente, lo que le produjo no poco asombro, porque era de poco dormir".

* * *

Entre los altos dignatarios que veneraban a nuestro Fray Martín, cabe citar al arzobispo de Lima, D. Pedro Villagómez, que le obsequiaba con largueza de príncipe; D. Pedro de Ortega y Sotomayor, llamado el Teólogo por la eminencia de su saber, que en reñida oposición ganó muy joven la cátedra de S. Marcos y ciñó las mitras de Trujillo y de Cuzco; el obispo de Arequipa, que antes de ir a su nueva diócesis, quiso despedirse del Siervo de Dios; y el obispo de La Paz, D. Feliciano Vega, muy afecto a la Orden Dominica, al que, según ya dijimos, curó de grave dolencia cuando se dirigía a tomar posesión de la sede arzobispal de México.

* * *

Cierto día llamó a la puerta del convento del Rosario una familia proveniente del Callao, compuesta del matrimonio y seis hijos, con objeto de venerar el cuerpo de la bendita Rosa de Lima y pedirle la curación de uno de sus hijos. Lo habían llevado hasta allí en litera. En el convento de Nuestra Señora del Rosario tenían los esposos un séptimo hijo, Fray Vicente, y el Prior le encargó que enseñase a los suyos el cuerpo de la Santa. Pero la madre, doña Bernarda, no se mostraba satisfecha y dijo al hijo:

—Llama a Fray Martín.

Acudió el Siervo de Dios y le rogó doña Bernarda:

—¡Pedid vos a Dios que devuelva la salud a mi hijo!

—Lo haré con mucho gusto —repuso Fray Martín con gracia y para complacer a la afligida madre—. Pero me veo obligado a advertirle que éste y otros cuatro hermanos morirán pronto y solamente tendréis en vuestra casa al más pequeño. Esta es la voluntad de Dios.

Así sucedió y de ello dio testimonio fehaciente el hermano superviviente, Pedro Quijano Zeballos (*Proceso* 1660, c. 63 b.).

Juan Vázquez al servicio del Rey

Para terminar el presente capítulo, hablaremos brevemente del joven Juan Vázquez, el protegido del Santo, en un hecho que pone de relieve la veneración en que los militares tenían al Siervo de Dios.

Dos años antes de morir Fray Martín, salió del convento de Nuestra Señora del Rosario el muchacho extremeño para sentar plaza de saldado en la

Compañía del Capitán Martín de Zamalvide, de guarnición en el Puerto del Callao.

Por ser sumamente atractivo, no nos resistimos a transcribir el relato que el mismo interesado hace del hecho.

"Yendo a ver una tarde a Fray Martín el virrey Conde de Chinchón, según acostumbraba hacerlo cada mes para darle cien pesos, le dijo después de haberle entregado la cantidad:

"—A este mancebo —dijo señalándome a mí— le hemos de asentar en plaza de soldado, que servirá al Rey y le honraremos en todo.

"Al mes siguiente volvió a repetir lo mismo y Fray Martín respondió:

—Se hará, Señor, lo que Vuestra Excelencia ordena.

"—Pues si se ha de hacer, que lleven el decreto —dijo.

"Y, llamando a un criado suyo, llamado Juan de Santiago, le ordenó que hiciese el memorial allí mismo. Y lo firmó.

"Fray Martín le dio las gracias:

"—Bien puede tener la plaza —explicó— y acudir a las muestras y al servicio de Vuestra Excelencia.

"Al salir de allí me dijo:

"—Juancho, por la mañana habéis de ir al Callao sin falta; y en la Compañía del Maestro de Campo, a lo que os pareciere, podéis dar este memorial y decreto para que os asiente una plaza, que lo harán luego.

"Yo salí de la ciudad por el año 1637, ocho meses ya corridos del año, y en el caminó encontré a D. Juan de Luza, alférez de la Compañía del Capitán Martín de Zamalvide. Y me preguntó:

"—¿De dónde sois?

"—De España, de la provincia de Extremadura.

"—¿Y a qué váis al Callao?

"—A sentar plaza, porque el Señor Conde —el virrey— tiene gusto de servir con ella al Padre Fray Martín de Porres.

"Y él respondió:

"—Irá vuestra merced conmigo a mi Compañía, que yo también me tendré por dichoso en tener a vuestra merced en la Compañía, *por ser cosa de aquel Siervo de Dios.*

"Al salir de las Casas Reales, en donde me acababa de asentar como soldado, nos encontramos con el Padre Fray Martín, que abrazándome me dijo:

"—Vuestra merced, señor alférez, por amor de Dios, sírvase de sobrellevar a este mancebo, porque no podrá él estar tan experimentado como los que ya están hecho a la milicia.

"El alférez replicó:

"—Será todo, Padre, a la medida de Vuestra Reverencia.

"Y se pusieron a caminar hasta San Agustín, en donde se despidió el alférez de Fray Martín, diciendo:

"—Le aguardo a comer a mediodía en mi casa.

"Respondió el Santo que se lo agradecía; pero que tenía mula para volverse al convento.

"D. Juan de Luza se alejó y nos quedamos Fray Martín y yo. Según bajábamos a la plaza, el Siervo de Dios me iba diciendo la obligación que tenía, y que si quería acertar en servir al Rey, que siempre me arrimase a su servicio, y así acertaría. Yo le repliqué:

"—Padre, ¿con qué he de comer? Porque aquí dicen que no pagan sino al cabo de ocho meses.

"Respondióme Fray Martín:

"—Yo tendré cuidado de llevarte para que comas. Mas no hará falta.

"—Y me dio cinco pesos, diciéndome:

"—Si necesitas algo, Fray Alfonso te dará de mi parte lo que necesites. Era un religioso anciano muy amigó de Fray Martín.

"Y fue éste tan cuidadoso que siempre estaba al tanto para ver si me faltaba algo, porque así se lo había rogado Fray Martín.

"El Siervo de Dios casi todos los días venía al Callao a visitarme y el alférez Juan de Luza, por pensar que con ello daba gusto al santo varón de Dios, me nombró barbero de la Compañía en 1639.

"Llegó el momento de la partida y, abrazados los dos, me dijo:

"—Adiós, Juancho, que ya en este mundo no nos volveremos a ver. Y si nos viéramos, dudarás.

"Quince días después de esta despedida, fui al convento para saludar a Fray Martín y salió a recibirme antes de que yo abriese la puerta de la celda.

"Luego me preguntó:

"—¿Y qué piensas hacer?

"—Irme a Tierra Firme.

"—¿Por qué no te quedas en Lima? Yo te daré quinientos pesos para que halles aquí modo de vida. Y te puedo pasar de la plaza del Callao a Lima. No vayas.

"—Padre —le respondí— haré eso que me dice cuando vuelva del viaje que voy a emprender.

"—Hijo, entonces será ya tarde, que no te los podré dar. Tómalos ahora.

"Como así fue. Pues de vuelta del viaje hallé muerto al venerable Fray Martín. Y de todo esto doy fe" (*Proceso*, págs. 185-6).

VIII. MUERTE DICHOSA

El hábito nuevo

Estamos en 1639, el último que pasó en este mundo Fray Martín de Porres. Fue por entonces cuando ocurrió la milagrosa curación que por obediencia obró el Siervo de Dios en la persona del arzobispo electo de México, D. Feliciano de la Vega, según lo referimos en el capítulo III.

A pesar de la negativa del Provincial para que nuestro Santo acompañase al Sr. Arzobispo, éste no dio la cosa por perdida y seguía insistiendo ante los superiores dominicos, no pareciendo difícil que lograra su propósito.

Entre tanto, el Siervo de Dios estrenó un hábito nuevo, planchado y limpio, aunque de duro *cordellate* y más áspero que ninguno de los que había llevado; ello dio pie para que los religiosos creyesen que se lo había hecho para trasladarse a Nueva España.

—Enhorabuena, Fray Martín —le dijo con algo de ironía el Padre Fray Juan de Barbazán.

El Santo adivinó la intención del Padre y le replicó:

—Padre mío, con este mismo hábito me han de enterrar.

Poco después fue a despedirse del Siervo de Dios el mismo Padre Barbazán, porque iba a marcharse a Cuzco, donde pensaba permanecer largo tiempo como Maestro de Teología; pero Fray Martín le dijo:

—Pronto nos veremos, porque vuestra Reverencia permanecerá poco tiempo fuera de Lima.

Por diversas causas imprevistas, los dos pronósticos de Fray Martín tuvieron exacto cumplimiento. A él le enterraron con el hábito recién estrenado y el Padre Barbazán tuvo que regresar inopinadamente, asistiendo al entierro del Siervo de Dios (*Positio*, p. 34).

A D. Juan de Figueroa, que le pedía encomendase su alma a Dios cuando falleciese, momento que no creía lejano, le respondió Fray Martín:

—Moriré yo antes que vuestra merced.

Como sucedió, efectivamente.

Ultima enfermedad

A mediados de octubre le sobrevino una fuerte calentura. Por más que el Siervo de Dios procuró atender todas sus obligaciones, después de varios días, intentando sostenerse en pie, tuvo que meterse en cama.

Fray Martín comprendió que estaba próximo su fin. Muy avezado a diagnosticar y prever el desenlace de las enfermedades conoció perfectamente su situación.

Habiendo manifestado aquel mismo día que entraba en su última enfermedad, los superiores llamaron al doctor Navarro. Este miró al paciente, le puso la mano en la frente y notó que ardía.

Se volvió al Prior y le dijo en voz baja que era necesario sacrificar algunas aves y aplicar a la frente del enfermo una masa hecha con sangre fresca, al objeto de que le bajase la fiebre.

Cuando ya se disponían a poner en práctica lo ordenado por el médico, lo impidió Fray Martín, diciendo:

—¿Para qué quitar la vida a esas criaturas de Dios si no ha de aprovechar el remedio? Porque es voluntad divina que yo muera.

Lo mismo repitió al enfermero, P. Fray Antonio Gutiérrez, cuando le insistía que tomase carne de palominos y gallinas (*Proceso*, pág. 295).

Fue este su último acto de amor a los animales. Fray Martín se mostró en punto de muerte como había sido toda su vida, la cual, en realidad, constituyó una continua preparación a bien morir. El Siervo de Dios concentró todas sus energías en permanecer fiel a sus convicciones hasta el último momento.

Fray Martín no pidió ningún alivio para su mal. La fiebre le consumía e iba acabando con la resistencia del organismo. Le dolía todo el cuerpo, y la cabeza parecía que iba a estallarle. El Santo sin un lamento, abandonaba su cuerpo al azote de la enfermedad para que continuase unido en el dolor a la Pasión de Jesús.

En vista de que avanzaba el mal, el Padre Prior ordenó un turno de vela permanente al enfermo, disponiendo que se diese aviso a la Comunidad cuando se acercase el final.

El enfermo aprovechó los días de lucidez para confesarse repetidas veces, haciéndolo con gran compunción.

Al Padre Fray Antonio Gutiérrez, que le atendía, le preguntó, viéndole llorar:

—¿Por qué se aflige vuestra Reverencia?

Al decirle el enfermero que porque decía que iba a morir, le replicó:

—Pues no llore, hermano, que tal vez le sea más útil allá que acá (*Ad novas* V, pp. 116-7).

Consternación general

La noticia de la enfermedad del Siervo de Dios corrió por la ciudad, y sus amigos de fuera, no menos consternados que los religiosos, acudían al convento para ver una vez más a Fray Martín y pedirle algún consejo. Estaba en vísperas de su muerte, pero quien no lo conociese habría creído que estaba bien de salud, por lo tranquilo que se hallaba en su lecho, sin proferir un solo quejido y sin dejar de exhortar para el bien (*Ad novas,* LXII, p. 116).

Uno de los más asiduos visitantes era Francisco Ortiz. Creyendo que podría ser la última vez que veía al Siervo de Dios, se le acercó y le dio un beso en el cuello, porque estaba acostado de lado y con la cara a la pared. Fray Martín le echó el brazo por detrás y le apretó la cabeza contra la suya con tanta fuerza que Ortiz recibió mucho calor y empezó a sudar en abundancia. Al mismo tiempo advirtó un suavísimo olor como nunca había notado (*Ad novas,* XI, p. 116).

Los últimos Sacramentos

El 1o. de noviembre, Fray Martín presentía el próximo desenlace y encargó a uno de los religiosos que le asistían que le llevasen el Viático.

Revestido el Padre Pior y yendo toda la Comunidad con velas, recorrieron en solemne procesión los claustros rezando alternativamente las preces y los salmos del ritual.

Fray Martín se sentó con esfuerzo en la cama y miraba fijamente al Santísimo, puesto en un altarcito con dos velas.

El Padre Prior le hizo las preguntas de ritual, que el enfermo contestó con profunda fe y devoción. Al preguntarle que si perdonaba a cuantos hubiesen podido ofenderle, respondió que sí y, llorando, suplicó a sus hermanos presentes que le perdonasen.

El Prior, después de impartir la absolución al enfermo, le administró el Viático, quedándose Fray Martín en íntimo recogimiento, disfrutando de la paz que el sacerdote le había deseado al entrar.

Luego el mismo paciente pidió que le administraran la Extremaunción, la cual recibió con el mayor fervor.

La Comunidad se retiró después en silencio.

Penitente y humilde hasta el fin

Llegó el día 3 de noviembre de 1639. Al notar el Siervo de Dios que se acababa su vida, pidió a uno de los religiosos que con él estaban que le diese una túnica asperísima que se hallaba colgada en un clavo en la pared, y era la que solía ponerse en días de extraordinaria penitencia.

El fraile la tomó, pero antes de dársela al enfermo, salió con ella a la puerta para que la viesen los que allí había, a quienes les dijo:

—Los Siervos de Dios suelen apreciar mucho los instrumentos que les ayudan a merecer.

El enfermó oyó las palabras del religioso y, por lo mismo, cuando entró para ayudar a Fray Martín a ponérsela, volvió éste el rostro con gesto despectivo y dijo:

—Hermano, tírela a un muladar, que no sirve para nada.

Estas palabras respondían al sentimiento de humildad del Santo, como ya lo había expresado en el mismo curso de su última enfermedad, según lo atestigua el Padre Fray Fernando de Valdés:

"Estando ya para morir —dice— ordenaron los Prelados y médicos que le quitasen una túnica de jerga basta, de que suelen hacerse las albardas (la túnica que llevaba como única prenda interior). Y fue tan grandísimo el sentimiento que tuvo por ello, tanto por la ocasión que se le quitaba de mortificarse, como por la ocasión de vanagloria que de ahí se podía seguir al ser vista, que hizo todo lo que pudo para impedirlo. Y los circunstantes, así religiosos como seglares, cedieron de buen grado a sus ruegos al ver la repugnancia del Siervo de Dios a que se la quitasen" (*Proceso*, pág. 171).

"En el transcurso del día, cuando el Santo se hallaba con pleno conocimiento —copiamos de Fr. Salvador Velasco, O. P.— el Padre Prior Fray Gaspar de Saldaña, según refiere él mismo, impuso al enfermo el doloroso precepto para que por obediencia le dijese cuántas disciplinas se daba diariamente. Y él, con indecible angustia, se lo dijo, según queda referido. Esta pesadumbre le hizo agravarse notablemente".

Asaltos enemigos

El enemigo de todo bien quiso probar fortuna y ver si en los últimos momentos de Fray Martín lograba vencer a quien le había derrotado por espacio de sesenta años.

Se acercó, pues de manera invisible, al lecho del paciente y se esforzó por atacarle desde una posición que juzgó ventajosa. Lucifer no encontró mejor medio que su viejo caballo de batalla, empezando a agitar ante la mente del moribundo los fantasmas de la soberbia. "Ya has vencido —venía a decirle— y tienes bajo tus pies todos los obstáculos: eres un santo. Puedes, por lo tanto, adoptar la actitud de los vencedores y triunfadores.

Fray Martín contestó al padre de toda mentira redoblando sus actos de humildad. Pero el enemigo no cedía y multiplicó los esfuerzos sobre aquel único punto, pues de haber abierto brecha, todo el edificio se hubiese desmoronado. Insistía con la monotonía de la gota del agua sobre la dura roca. Esperaba que el Santo cedería al fin, cansado de tanta lucha.

La angustia se exteriorizaba en el rostro de Fray Martín. Los hermanos le seguían con ánimo suspenso y oraban. De pronto dijo uno:

—Fray Martín, no entréis en discusión con el demonio, que es capaz de hacer ver que lo negro es blanco y lo blanco negro.

El Santo abrió los ojos y aún pudo responder, sonriendo, al Padre que le había hecho la prudente observación:

—No tenga cuidado. El demonio no empleará sus sofismas con quien no es maestro de Teología:

es demasiado soberbio para emplearse así con un pobre mulato (Kearns, *obra citada*, p. 152).

Desconcertado por la ironía, Satanás debió darse por vencido y dejar el terreno a Quien era mucho más que él.

Visita del Virrey

Por la tarde acudió el Virrey, que deseaba despedirse de su amigo y consejero. Los superiores le acompañaron hasta la celda del enfermo y uno de ellos entró para anunciarle su visita. Pero halló al Santo abstraído, con la mirada fija en la mesa donde había estado el Santísimo, como en éxtasis.

Informado el Virrey no quiso insistir y comenzó a pasear con el Padre Prior.

Un cuarto de hora después, pasado el éxtasis, el Conde de Chinchon entró y se arrodilló junto al mísero lecho, y, tomando una mano de Fray Martín, la besó con suma devoción.

Luego, sentándose en un cajón, casi unido su rostro con el del enfermo, le rogó humildemente:

—Fray Martín, cuando esté en la Gloria, no se olvide de mí, para que el Señor me ayude y me dé luz a fin de que pueda gobernar estos reinos con justicia y amor, con objeto de que algún día también me reciba a mí en el Cielo.

Fray Martín, como experto educador, esforzándose y hablando con gran lentitud le dijo en tono de suma humildad:

—Cuando Dios haya tenido misericordia de mí llevándome a su Gloria, como espero, fiado en la Sangre de Nuestro Señor Jesucristo y en la intercesión de la Santísima Virgen y de los Santos, me acordaré de Vuestra Excelencia, pero para conseguir las divinas bendiciones habrá de ofrecer oraciones y buenas obras.

Permaneció el Virrey un rato con él, y luego se despidió afectuosamente y salió, acompañándole el Prior y otros superiores hasta la portería del convento.

De regreso a la celda del moribundo, dijo a éste confidencialmente el Padre Gaspar de Saldaña:

—Fray Martín, ¿cómo ha hecho esperar al Virrey?

—Padre —contestó— entonces tenía otras visitas de más importancia.

—¿Quiénes eran?

—La Virgen Santísima, Sto. Domingo, San José, Santa Catalina Virgen y Mártir y San Vicente Ferrer.

Ultimos momentos

Eran ya casi las ocho de la noche y la Comunidad se dirigió al refectorio para tomar la colación. El Padre Prior encargó a los religiosos de vela que avisaran inmediatamente en cuanto entendiesen que empezaba la agonía.

Los que estaban con Fray Martín tuvieron la impresión de que luchaba nuevamente con el Espíritu del Mal, pues veían sus gestos y le oían decir:

—Quita, maldito, vete de aquí, que no me han de vencer tus amenazas.

El Padre Fr. Francisco de Paredes, que se hallaba a su cabecerá limpiándole el sudor, le dijo:

—Astuto es el demonio, Fray Martín. Encomiéndese y llame a nuestro Padre Santo Domingo.

—Aquí está presente —replicó— en compañía de San Vicente Ferrer.

El santo Fundador no podía dejar solo en los últimos momentos a un hijo que durante las tres cuartas partes de su vida había trabajado con tanto amor y humildad en su Orden. La derrota del enemigo, fue esta vez definitiva.

A partir de este instante, Fray Martín quedó sumergido en una gran paz, a pesar de repetirse los ataques febriles. El Padre Francisco lo observaba atentamente, porque cada ataque podía ser el último y era preciso llamar a la Comunidad con suficiente antelación. Dos veces hizo ademán de tocar "las tablas". La tercera vez dio el moribundo su conformidad bajando levemente la cabeza. Estaba cubierto de sudor mortal y así fuertemente entre las manos el Santo Cristo que se guardaba para tales ocasiones (*Positio*, 1, c.).

Poco después sonaban "las tablas" por los claustros anunciando que Fray Martín entraba en la agonía. Acudió toda la Comunidad. El Padre Saldaña comenzó la recomendación del alma, a la que contestaban los religiosos. Rezaron luego los salmos que señala la liturgia y la invocación a todos los Santos.

El Padre Saldaña entonó luego el Credo, siguiéndole a coro todos los frailes. Aquel canto era para el moribundo el himno triunfal. Había creído en el Padre que está en los cielos, en la bondad y belleza de todo lo creado; en la realidad del mundo invisible del espíritu, intuyendo que sobrepasa en mucho la belleza y perfección del visible. Había creído en el Hijo, luz y revelación de la impenetrable luz del Padre, el Verbo hecho hombre que siendo Verdad y Vida se había hecho Camino, y había ido en pos suya, practicando la doctrina del amor. Había creído en el Espíritu Santo, el Santificador y siempre había correspondido a sus divinas inspiraciones. Había confiado en María, la Virgen Madre que había revelado el misterio de la Encarnación, Templo santísimo y purísimo de las bodas del Unigénito Hijo de Dios con la naturaleza humana, sin distinción de razas, color de la piel o lugar y tiempo de nacimiento.

Cuando el coro cantaba con voz más reposada y estaban los frailes de rodillas adorando en su corazón el misterio expresado por las palabras: ET HOMO FACTUS EST, Fray Martín de Porrès, dejó caer el crucifijo sobre el pecho, y, como en grato sueño, cerró los ojos para despertar en la Gloria.

Eran las ocho y media de la noche del día 3 de noviembre del año 1639.

IX. HACIA LOS ALTARES

La mortaja

Al terminar el salmo "In exitu Israel de Aegypto", los frailes que acompañabán el cadáver de Fray Martín pensaban que más de pena, era motivo de regocijo el hecho de que el Siervo de Dios hubiese salido del destierro de este mundo para arribar a las playas de la verdadera Patria.

El Arzobispo electo de México, con la emoción en la garganta, apenas pudo pronunciar estas palabras ante los religiosos:

—Hermanos, aprendamos de Fray Martín cómo se muere. Esta es la más importante y difícil de todas las elecciones (*Vida del B. Martín de Porres* - Anónimo, pág. 169).

Los frailes encargados de amortajar al Santo quedaron atónitos viendo las cicatrices y llagas de su venerable cuerpo, asombrándose de que una criatura humana hubiese podido vivir y trabajar de la noche a la mañana en tales condiciones.

En vano se buscó por la celda de Fray Martín un hábito decente para amortajarlo. Sólo se hallaron paños viejos, rotos y humildísimos, por lo que hubieron de recurrir al hábito nuevo de cordellate, cumpliéndose así lo dicho por el Santo al estrenarlo.

El Padre Cipriano de Medina se acercó al cadáver y lo tocó, hallando el cuerpo sumamente rígido. Pero no se desalentó, y, en presencia de los Padres más autorizados que hacían guardia de honor, dijo en voz alta a su amigo:

—¿Cómo, hermano, se ha quedado tan yerto e intratable cuando se acerca el día y está la ciudad toda prevenida para veros y alabar a Dios en vos? Pedidle que ponga este cuerpo tratable, para que le demos muchas gracias por ello.

Pasados unos minutos, el cuerpo se volvió flexible y el rostro, perdida la rigidez, tomó de nuevo su expresión habitual como cuando vivía.

Feliz de haber sido escuchado en su súplica, el mismo Padre Cipriano enderezó el cuerpo y lo dejó sobre el féretro en una posición que le hacía aparecer lleno de vida (*Positio*, p. 26).

Fervor y suave olor

La noticia de la muerte del Siervo de Dios corrió como reguero de pólvora. A las cuatro de la madrugada empezó a congregarse la multitud ante la puerta de la iglesia del convento de Nuestra Señora del Rosario.

Cuando el sacristán abrió el templo, una verdadera avalancha humana invadió las naves y se situó tras el cordón de frailes que rodeaban el catafalco.

Todo el mundo se admiraba de ver a Fray Martín como si estuviese vivo. Parecía realmente dormido. Lo que más asombro produjo y hacía que todos se sintiesen encantados, fue el suave olor y delicada fragancia que despedía el venerado cuerpo.

Que esta fragancia no era ilusión, lo corroboraron innumerables personas de toda condición y sexo. Años después, doña Ursula de Medina testificó en el proceso, evocando la gloriosa jornada, lo que sigue:

"Siendo de doce años, poco más o menos, me hallé en el entierro de Fray Martín, yéndole acompañando con otras mujeres. Y cuando llegué al cementerio del convento sentí un olor grandísimo que no parecía cosa de la tierra. Y así que entré en la iglesia, miré a todas partes por ver si había alguna cosa que causase dicho olor, y no vi nada. Por donde juzgué que salía del cuerpo del Siervo de Dios" (*Proceso*, pág. 141).

Dª Isabel Astorga y Figueroa, recordando sus impresiones, manifestaba:

"Cuando murió Fray Martín, a quien no conocí personalmente, vi grandísimo concurso de gente de todos los estados, que llegaban a besarle la mano, como también lo hice yo. Esto sucedía en la iglesia. Y todos le aclamaban por Santo. Y cuando le besé la mano —tenía entonces diecisiete años— la tenía tratable, de suerte que parecía estar viva" (*Proceso*, pág. 262).

Con respecto al gentío que se congregó en la iglesia para venerar el cuerpo del Santo, he aquí el testimonio de Juan de Córdoba:

"Se reunió grandísimo concurso de gente de todos los estados en la iglesia del convento, sin ser llamados ni convidados. Sino que, luego que se corrió la voz, se sintieron movidos a venerar su cuerpo, y así lo hacían: tocando en él rosarios, besándole las manos y los pies. Y su cuerpo quedó tan tratable y amoroso, que parecía estar vivo, porque le movían las manos y el cuerpo como querían. Y el día de su entierro concurrió la misma gente, y la Grandeza de ella, y los dos Cabildos, eclesiástico y secular, y muchos señores de la Real Audiencia, y el Arzobispo de México y Obispo de Cuzco, y los Prelados de las Religiones, y las Religiones, y los religiosos graves, entre los cuales, a trechos, cargaban su cuerpo para llevarlo a la sepultura, aclamándole todos por Santo" (*Proceso*, págs. 312-313).

Este relato nos da idea del fervor despertado por el Santo en todas las capas sociales. El Padre Maestro Fray Francisco de Paredes, nos lo corrobora:

"Estuve por orden de los Prelados, guardando con otros religiosos el cuerpo de Fray Martín hasque se lo llevaron a la sepultura. Y vi que desde las cuatro de la madruyada concurrió *toda la ciudad;* y venía toda la gente de lo más lejos de ella; y tocaban los rosarios en él. Y, aunque pusieron todo cuidado en no permitir que le cortasen ninguna reliquia de su ropa, no fue posible conseguirlo. Y le cortaron muchos pedazos de los hábitos".

Según el Padre Francisco, este deseo de reliquias obedecía en parte al suave olor que despedía el cuerpo del Santo.

El entierro

La conducción del cadáver constituyó una auténtica apoteosis, sin que faltaran imprevistos incidentes. Al llegar a la entrada del Capítulo, en cuya cripta debía verificarse la sepultura de Fray

Martín, debido a la enorme aglomeración de gente, de no haber sostenido los criados al señor Arzobispo de México, le habrían derribado al suelo. Advirtiendo el bondadoso prelado que todo obedecía a la piedad de los fieles, por no quererse apartar de las andas en en que se llevaba el venerado cuerpo, exclamó emocionado:

—¡Así se debe honrar a los Santos!

Tras lenta y dificultosa marcha, aunque llena de gozo y de fervor, llegó la procesión a la sala capitular en donde ya se había cavado la sepultura; pero no junto a las de los donados, sino entre las de los sacerdotes, "para honrar con ello la santa vida y santa muerte de Fray Martín", según expresión del Padre Fray Gaspar de Saldaña, distinción que ya se había hecho con otro donado, Fray Miguel de Sto. Domingo, cuya sepultura se hallaba al lado de la de nuestro Santo.

Resumen magnífico de las impresiones y de los sentimientos que embargaban a los presentes, son estas concisas palabras del testigo Baltasar de la Torre:

"Si la sepultura es comúnmente horror de los sentidos, lo dejó de ser en esta ocasión por el buen olor, así de fama como, al parecer, fragante que iba dando el cuerpo de este siervo de Dios, dejando en la superficie de la tierra esculpida una memoria eterna y garantías ciertas de una felicidad gloriosa. Y a todos los presentes, promesas de una intercesión segura" (*Proceso,* p. 199).

Poder intercesor

Desde momentos después de su fallecimiento ya demostró Fray Martín su gran poder de intercesión ante el trono de Dios, haciendo recobrar la salud milagrosamente a muchísimas personas que le pedían con fe por su mediación.

Estando amortajado el Santo, empezaron a oírse de pronto grandes gritos de dolor, procedentes de la enfermería, pidiendo ayuda. Los daba Fray Juan de Varga.

El Padre Juan de Barbazán, que fue uno de los que acudieron para saber qué ocurría, exhortó al paciente a que invocara a Fray Martín.

El enfermo empezó a gritar entonces:

—¡Fray Martín, Fray Martín!

"Y a muy pocos gritos que dio, nombrándole, se quedó dormido y se le quitó el dolor, sin que le volviera más" (*Proceso,* p. 110).

Fueron registrándose ininterrumpidamente curaciones milagrosas atribuidas al Siervo de Dios, como las de Fray Antonio Gutiérrez, Fray Cipriano de Medina, Fray Jacinto de los Olmos...

Y hasta se recurría a Fray Martín de Porres para la solución de problemas difíciles que surgían en la vida conventual, como la elección de prior...

Procesos

Tanta era la fama de santidad y tan palpables los hechos asombrosos realizados en vida por el Siervo de Dios y después de muerto, que el 17 de diciembre de 1659, el Rey de España, que entonces era Felipe IV, escribió a su embajador en Roma, D. Luis de Guzmán Ponce de León, encargándole que expusiera al Padre Santo los motivos por los que rogaba a la Santa Sede que se dignara enviar el "rótulo" referente a la Beatificación de Fray Martín de Porres, de la Orden de Sto. Domingo, cuya virtuosa y ejemplar vida se había visto corroborada por los extraordinarios milagros y espíritu de profecía comprobados.

En 1660 se abrió el Proceso Diocesano o Sumario para promover la Beatificación, primero, y Canonización, después, que era la condición previa necesaria para el Proceso Apostólico, en el que depusieron más de noventa y cinco testigos. Se cerró el 5 de diciembre de 1664.

Este mismo año se cursaron a la Sede Apostólica peticiones para la introducción de la Causa de Beatificación por parte del rey de España, Felipe IV; del Virrey del Perú, conde de San Esteban; del Arzobispo de Lima, D. Pedro de Villagómez; del Capítulo Metropolitano; de la Universidad de S. Marcos; de las comunidades religiosas de Hospitalarios, Agustinos, Hermanos Menores, Mercedarios, Dominicos y Jesuitas, casi embriagados por la cantidad del perfume de rosas que exhalaban los restos de Fray Martín (*Positio*, pp. 50-71).

En seguida se inició el Proceso Apostólico, bastante más serio, y que requiere gran cantidad de documentos y registros. Se cerró oficialmente el 23 de octubre de 1686, enviándose a Roma la copia debidamente sellada.

Este proceso constaba de ocho mil páginas, yendo acompañado, además, de un pequeño volumen con la investigación sobre el carácter de los testigos, así como la relación del reconocimiento oficial de la tumba y restos de Fray Martín, exhumados en marzo de 1664, para trasladarlos a otra sepultura situada en la capilla de la enfermería del convento de Nuestra Señora del Rosario, y en cuya ocasión se vio que el cadáver tenía aún carne y sangre fresca y que exhalaba un suave olor, como de rosas secas, muy intenso, diciendo el Padre Maestro Fray Francisco de Oviedo: Demos gracias a Dios que así glorifica a sus Santos.

El 27 de febrero de 1763, el Papa Clemente XIII "ante la faz de la Iglesia" proclamó sublimes y heroicas las virtudes del Siervo de Dios.

Era un buen paso hacia adelante, pero no lo era todo. Se necesitaban muchos milagros obrados por Fray Martín después de muerto para elegir entre ellos dos que reconociera como tales la autoridad papal.

Los milagros no faltaron, pues nuestro Santo continuó bilocándose desde el Cielo como lo había hecho en vida, y obró muchos prodigios en favor de quienes lo invocaban con fe.

Los milagros seleccionados para la aprobación fueron los dos que siguen, realmente estrepitosos.

* * *

El primero se verificó en la persona de la limeña Dª Elvira Moriano.

La señora había puesto al sereno en el balcón de su casa cierto potingue en un envase de barro cocido, y por la mañana, en cuanto se levantó, fue a tomarlo, pero con tan mala suerte que el cacharro, olla o lo que fuese, se le escurrió de las manos y calló al suelo, haciéndose añicos. No fue esto lo malo, sino que un fragmento de tiesto le dio tan fuertemente en un ojo, que le perforó la córnea y se lo vació.

Dª Elvira creía morir de dolor y empezó a gritar desesperadamente. Acudieron los vecinos, algunos de los cuales fueron a llamar al cirujano D. Pedro de Urdanibia. Este sintió gran compasión por la infeliz mujer, a quien no se atrevía a manifestar la gravedad de su estado.

—¿Podré quedar bien? —preguntó la enferma.

—De Dios depende, señora —contestó el cirujano—, porque el ojo ha quedado vacío y sólo Dios puede regenerar los órganos del cuerpo.

Doña Elvira tenía un hijo en el noviciado del convento del Rosario y el Padre Maestro Fr. Jerónimo de Toledo, compadecido de la suerte de la madre de su alumno, tomó una pequeña reliquia de Fray Martín de Porres, un fragmentito de sus huesos, y se la envió, recomendándole que se la pusiera en la parte dañada.

La citada señora, llena de confianza, se aplicó la reliquia a la órbita vacía e inmediatamente se le calmó el agudo dolor que sentía. Se quedó dormida y a la mañana siguiente, en cuanto se desdespertó, se tocó el ojo herido, notando, con el natural asombro, que la cavidad estaba llena. Se tiró de la cama, se miró al espejo, y vio que tenía el ojo completamente bien, como si no hubiera pasado nada.

Empezó a dar gritos y acudieron los vecinos; pero esta vez, los gritos eran de alegría. También se presentó el cirujano, quien reconoció el gran milagro operado en la paciente y dio gracias a Dios y al Santo (*Vida*, pp. 190-92).

* * *

El otro milagro fue como sigue:

Se estaba haciendo limpieza general en casa de Doña Inés Vidal. Para dar mejor el lustre al salón principal, sacaron los sillones y demás muebles a una terraza anexa, situándolos junto a la baranda que daba a la calle.

Fregando el piso estaba una esclava negra (de la que no se nos ha transmitido el nombre), que tenía un hijito de unos dos años, llamado Melchor Baranda.

No teniendo el pequeño nada que hacer mientras trabajaba su madre, iba de una a otra parte sin que nadie se ocupase de él. En cierto momento fue a la terraza, hallándose con la barrera que formaban los sillones, puestos unos encima de otros. Al principio quedó contrariado por no poder ver la calle, tal como deseaba, pero luego pensó que podría satisfacer su deseo subiéndose a uno de aquellos sillones, como lo hizo, en efecto, sentándose en él.

¡Qué a gusto y blando se hallaba el niño!

Mas de pronto, quiso asomarse inclinó demasiado el cuerpecito y cayó de cabeza a la calle desde una altura de seis metros.

Al oír el seco golpe producido al chocar el cuerpo con el pavimento, la madre y los que con ella se hallaban corrieron a comprobar lo sucedido. El niño tenía la cabeza abierta y echaba sangre por los ojos, los oídos, la nariz y la boca. Nadie se explicaba que pudiera tener aún vida.

Llegó con apresuramiento el cirujano D. Pedro de Utrilla y reconoció que se trataba de un caso desesperado. Se limitó a recomendarle que recurriera a Fray Martín de Porres. La infeliz madre no tenía alientos para decir la menor palabra, pero su ama, doña Inés fue por una estampita del Siervo de Dios y se la aplicó a la cabecita del herido, diciendo:

—¡Santo Porres, Santo amigo de mi alma, cúrame a este niño!

Fray Martín debió sonreír desde el cielo viendo a una dama española tomándose tanta parte por una esclava negra, y tres horas después, el pequeño Melchor saltaba de la camita donde le habían puesto, tan sano y avispado como antes de sufrir la mortal caída.

Ni entonces ni después le quedó a Melchor Baranda la menor seña ni consecuencia alguna de la fractura del cráneo.

Cuando D. Pedro de Utrilla fue a visitar al chiquillo y le halló correteando de un lado a otro, como cualquier niño de su edad, fue a contar el prodigioso hecho avalándolo con el testimonio de su indiscutible competencia (*Vida*, pp. 192-4).

* * *

Casi un siglo después, es decir, el 19 de marzo de 1836, Gregorio XVI aprobó los dos milagros requeridos para la Beatificación, que realizó el mis mo Sumo Pontífice el 29 de octubre del año siguiente.

Con el reconocimiento oficial de la santidad de Fray Martín, la devoción al mismo prosiguió con renovado fervor y se extendió por el mundo entero, aunque más particularmente por el hispánico.

El tercer centenario de su muerte se celebró en el Perú con gran solemnidad, presidiendo los actos el primer magistrado de la nación, D. Oscar Benavides, constituyendo un renovado impulso cuya meta fue ya su Canonización.

Según el *Osservatore Romano*, nunca se habían recibido tantas y tan reiteradas peticiones para la canonización de un Santo como en el caso de Fray Martín de Porres, el Santo que los europeos dicen que es suyo por ser español; los americanos, por haber nacido en América; los africanos, por ser de su raza; y los asiáticos, por ser de color.

Canonización

Fray Martín no rehuye la glorificación en la tierra por ser un medio de glorificar a Dios en él y no haber en el cielo peligro de vanagloria ni de orgullo.

A las nueve de la mañana del día 6 de mayo de este mismo año de 1962, después de escuchar la súplica del Cardenal Prefecto de la Congregación de Ritos, en una ceremonia grandiosa celebrada en la basílica vaticana, llena de toda clase de gentes congregadas del mundo entero, el Papa Juan XXIII pronunció las solemnes palabras de la canonización, diciendo:

"En honor de la Santísima Trinidad, para exaltación de la fe católica y difusión de la religión cristiana, con la autoridad de Nuestro Señor Jesucristo, de los Apóstoles Pedro y Pablo y Nuestra... decretamos y definimos que el Beato Martín de Porres es Santo y le inscribimos, por lo mismo, en el álbum de los Santos estableciendo que su memoria se celebre con piadosa devoción todos los años en el aniversario de su muerte, esto es: el día 3 de noviembre. En el nombre del Padre y del Hijo y del Espíritu Santo. Amén".

X. SANTO DE NUESTROS DIAS

Dilaciones providenciales

Lenta aparece la carrera póstuma de nuestro Santo hacia los altares, en comparación de lo sucedido con otros Santos modernos. Desde su muerte a la firma del decreto de introducción de su causa, transcurrieron treinta años, y diez desde la firma del decreto hasta el comienzo efectivo del proceso apostólico. Pasaron ochenta y cinco años entre la iniciación del proceso y la proclamación de la heroicidad de sus virtudes; setenta y cuatro, desde esto a la beatificación. En total, transcurrieron dos siglos desde la muerte de Fray Martín hasta su beatificación.

La Sagrada Congregación de Ritos suspendió toda actividad relativa a la causa de Martín de Porres por espacio de noventa años después de su beatificación. Sólo en 1926, a petición del entonces Postulador de la Orden de Sto. Domingo, P. Ludovico G. Fanfani, y en virtud de las muchas peticiones de autoridades eclesiásticas y civiles, firmó el Sumo Pontífice Pío XI la comisión para la reanudación de la causa.

Diez años más tarde, el Maestro General, P. Martín Estanislao Gillet, en carta circular a toda la Orden, exhortaba a promover la devoción al Beato Martín y apresurar el día de su canonización, mediante la oración y recopilación de testimonios sobre sus milagros (Kearns, *obra citada,* p. 209).

En 1937 y 1939, al celebrarse el centenario de la beatificación y el tercero de su muerte, respectivamente, todavía estaba incierto y se veía lejano el día de su canonización.

Los procesos apostólicos formalizados en diferentes diócesis quedaron archivados por no ofrecer la plena garantía exigida por la Santa Sede para los casos milagrosos.

Al fin se aprobaron los dos milagros siguientes.

* * *

El primero se obró en Asunción, capital de Paraguay, el año 1948, en favor de doña Dorotea Caballero, viuda de Escalante. Esta señora había llegado en perfecto estado de salud a la edad de ochenta y siete años, pero el 8 de septiembre de dicho año, sufrió una enfermedad intestinal que degeneró en obstrucción del intestino delgado, no pudiendo la enferma hacer deposiciones y padeciendo frecuentes vómitos, que le impedían tomar alimento alguno.

Los médicos juzgaron necesaria una intervención quirúrgica, pero a la anciana le sobrevino un colapso cardíaco y se empeoraron sus condiciones generales; era imposible la intervención.

Avisada de todo esto la hija de la señora Caballero, que residía en Buenos Aires, se trasladó por la vía aérea a Asunción, no cesando por el camino de suplicar al Beato Martín de Porres que ayudase a su madre.

Y fue atendida.

A las cuatro de la madrugada, la enferma se hallaba en perfecto estado de salud. Los médicos no salían de su asombro y testificaron que se trataba de una curación milagrosa.

* * *

El segundo caso fue la curación del niño de cinco años, Antonio Cabrera Pérez, quien, el veinticinco de agosto de 1956, tenía aplastado o poco menos un pie por un bloque de cemento de unos treinta kilos de peso cuando jugaba en la finca de sus padres, situada en Tenerife.

Trasladado urgentemente a la clínica de Sta. Ana, se declaró la gangrena y hubo que pensar en la amputación del pie. Los padres estaban desconsolados.

Un amigo de la familia, don Adolfo Duque, recién llegado de Madrid, tratando de ofrecer algún consuelo, principalmente a la madre del niño, le dio una estampa del Beato Martín, que siempre llevaba consigo y cuya eficacia había comprobado en diversas ocasiones.

La madre colocó la estampa junto al pie del niño y se encomendó al Santo con el mayor fervor. Lo mismo hizo el amigo.

Al amanecer, se había realizado el milagro. Al ir a tomar al niño para llevarlo al quirófano, vieron todos, muy asombrados, que el pie estaba caliente. El 29 de noviembre, se dio de alta al niño, que tenía el pie en perfecto estado y andaba normalmente. Las únicas señales del mal, eran unas huellas parecidas a las producidas por las quemaduras de la piel.

Ambos hechos fueron admitidos y aprobados por el Colegio Médico de la Sagrada Congregación de Ritos el 11 de enero de 1961 y por la reunión preparatoria de los Consultores Teólogos el 13 de febrero de 1962.

La Congregación General del 20 de marzo, presidida personalmente por el Papa Juan XXIII, decretó la aprobación de los milagros para proceder después con las palabras rituales del "Tuto", es decir, con toda seguridad, a la ceremonia de la canonización, que se efectuó, como hemos dicho, el 6 de mayo de 1962.

Cabe preguntarse el por qué de tanta dilación. Nada sucede por casualidad. Todo encuentra una justificación superior en el plano de la divina Providencia.

Sobre este particular tiene una respuesta muy ingeniosa el Padre Norberto Georges, O. P.:

—Antes era menos conocido que actualmente. Y de haber sido canonizado en épocas pasadas o sencillamente hace nada más que un cuarto de siglo, pronto habría caído en el olvido. Aún no se le conocía lo suficiente. Y no habría llevado a cabo la obra social que está operando en el mundo cual es: abolir prejuicios entre los hombres, unificar espiritualmente a pueblos y razas, abrir a todo ser humano el acceso a la santidad.

La canonización ha llegado, pues, en el momento psicológico más apropiado y oportuno.

Santo universal

Fray Martín parece ser un instrumento en las manos de Dios para unir en la Fe y en el amor cristiano a razas y culturas antagónicas. Por su estirpe, por sus padres y por su tierra natal, reúne en sí lo que hay de vario en las razas y pueblos, y a todos acoge de igual modo que en el siglo XVI acogía en su convento de Lima a españoles, criollos, indios, negros y mulatos, pues para él no había más que almas que salvar y cuerpos que sanar.

Fray Martín de Porres es un Santo universal que derrama sus favores por toda la redondez de la tierra, utilizando para ello el poder ilimitado que Dios pone en sus manos.

Referiremos, para prueba, unos cuantos milagros obrados en los diversos continentes del mundo.

El año 1920 celebró el Perú el centenario de su independencia. Era presidente de la República D. Augusto B. Leguía, excelente patriota, buen cristiano y dignísimo caballero.

Hallándose trabajando en su despacho unos días antes de la recepción que había de ofrecer al cuerpo diplomático y representantes de diversas naciones, entró en la habitación, donde estaba él solo, un *cholito* (mestizo que sirve en casa rica), quien sin más saludo y con la llaneza que es habitual en esta clase de sirvientes, le dijo:

—Augusto, no vayas a la recepción, por lo que pueda ocurrirte.

—Bueno, hombre, bueno —le contestó el Presidente, sin dejar su ocupación.

Poco tiempo después, nueva visita y nuevo aviso del *cholito*, con idéntica contestación. Por tercera vez volvió a entrar para decir:

—No te olvides; no vayas a la recepción, porque te sucedería algo malo.

—Bien, bien —contestó Leguía—, lo tendré en cuenta. Y gracias por el aviso.

Intrigado por la repetida insistencia del aviso, a la salida del trabajo preguntó a los ministros a quién servía el *cholito* que había entrado a hablarle.

Al saber que nadie le había visto y que, de haberse presentado alguien, no se le hubiese permitido interrumpir al Presidente. D. Augusto Leguía quedó muy impresionado y se fue a su residencia, reflexionando sobre lo que le convenía hacer.

Por lo que pudiera ser, decidió no asistir a la recepción. Mandó su automóvil con el distintivo y las insignias de su autoridad, y él marchó por sitio distinto del previamente anunciado.

¡Cuál no sería su asombro cuando a los pocos momentos supo que una bomba había convertido el coche presidencial en astillas!

Presintiendo quién habría podido ser su protector, dos días después visitaba la iglesia de los Dominicos en compañía del Prior, y, deteniéndose ante el altar del B. Martín de Porres, exclamó:

—Este *cholito* se me apareció y me habló a mí el otro día. Le prometo cien soles mensuales para ayudar a su canonización.

* * *

Cierto día se presentó en el convento de Guatemala don Carlos Luis Reyes, preguntando por el Padre que había predicado el triduo de San Martín en Santo Domingo.

—Padre, deseo comunicarle un gran favor recibido por intercesión de San Martín.

El 10 de noviembre notamos que mi hija, de año y diez meses, que nació muy sana, y así seguía, sentía molestias de estómago bastante agudas, haciéndonos sospechar una infección intestinal. Para combatirla, además de otras medicinas, le inyecté cloromicetina, específico contra infecciones intestinales. ¡Cuál fue mi sorpresa y susto, pues a los 5 minutos la niña tuvo una reacción anafiláctica, produciéndole un shock con anulación completa de las funciones circulatoria y respiratoria, con la consiguiente rigidez y palidez!

Por ser domingo era difícil encontrar un médico y medios adecuados para el tratamiento. Usando de los conocimientos que podía tener —estoy en quinto de medicina— intenté reanimarla haciéndole la respiración artificial, pero con resultado nulo.

Apurados, llamamos a un taxi para llevarla al hospital. Todos creíamos que estaba muerta y dudábamos si entrar de nuevo en casa o seguir. Ya de camino, le dije a mi esposa:

—Judith, éste es un caso perdido. Sólo San Martín de Porres puede salvarnos.

Saqué la estampa que tenía, toqué a la niña con ella en el pecho y espalda con una fe tan grande, que al instante vi la recompensa. La niña se incorporó, y se sentó sobre mis rodillas, y a su modo comenzó a cantar.

Al llegar al hospital y verla restablecida, regresamos a casa con la alegría consiguiente, dando gracias a Dios y a San Martín de Porres por el gran milagro que había hecho.

* * *

El día dos. como a las cinco de la tarde —refiere el P. Parrilla, C. M. F.—, estando yo en mi casita del pueblo de Basaato (Fernando Poo), que es país de negros, oigo ruidos, gritos, lloros y carreras de gentes. A mis preguntas me contestan que se muere la señora Carmen.

Corro al lugar de la escena y viendo a la mujer como en trance de expirar, la exhorto al arrepentimiento y le doy la absolución.

Vuelvo corriendo a casa por los santos óleos y al volver junto a la enferma la encuentro como muerta. Todo hacía creer que había exhalado el último suspiro. Los familiares gritan, lloran, se tiran por el suelo. Yo saco las cosas de la bolsa y comienzo a ponerle la Extremaunción. Pero también saqué unas cuantas estampas con la reliquia de San Martín de Porres, y puse dos o tres sobre la almohada de la moribunda tocando su cara y mentalmente le hice una súplica al Santo.

Todos, incluso el practicante que acudió a ponerle una inyección, creímos que había muerto.

Al día siguiente era domingo y tuve muchas confesiones. Cuando finalmente terminé pregunté al sacristán:

—¿Quién hace el entierro de la Sra. Carmen?

—Tiene una hija —me contestó.

—Vete —le dije— a saber la hora.

¡Cuál no sería mi sorpresa al oírle decir, de vuelta, que vivía y hablaba! En cuanto pude, fui a su casa y, al entrar, me dice su hija:

—Padre, vive y come. Yo lo atribuyo a San Martín. Allí tiene su estampa.

Todos los presentes rezamos a San Martín dando gracias por tan extraordinario favor.

* * *

Billy Morehouse, de los Estados Unidos, inválido de nacimiento con los tobillos torcillos y dislocadas las piernas en las rodillas, ofrecía un impresionante aspecto cuando andaba.

Estando en Lima, cayó un día en sus manos la Vida de Fray Martín de Porres. Cuando se "empapó" bien de su historia, le pidió que le alcanzara poder mover las piernas, y se obró el milagro, pudiendo luego andar solo, sin muletas y sin ayuda de nadie.

Luego aprendió a nadar, conducir automóviles, y pudo hacer lo que cualquier hombre normal.

* * *

¿A qué seguir relatando hechos milagrosos atribuidos, y con razón a San Martín de Porres? Hay publicaciones, como "Conozca a Fray Martín", editada por el Secretariado de Propaganda del Santo, establecido en Palencia (España), en las que el lector puede documentarse cuanto guste sobre el particular. El Santo de color se ha convertido con su escoba y su rosario en el más popular de los elevados a los altares, como símbolo de todas las virtudes y sublimes cualidades humanas que tan admirablemente se dieron la mano en este hijo del mundo, de tez morena y fisonomía negroidea.

Patronazgos . . .

La devoción a San Martín de Porres se ha extendido extraordinariamente en el mundo y cada día gana en intensidad y universalidad.

Le nombran patrono suyo los gremios de barberos de Italia, España, América Latina . . . Los gitanos y gentes de color de diversos países lo tienen por su "santito". En los Estados Unidos, difunden su devoción gran número de revistas, periódicos, folletos y opúsculos debidos a las prestigiosas plumas de los Padres McGlynn, Georges, Hughes y otros. Por todo Harlem, el populoso barrio neoyorquino habitado por gentes de color, se encuentran salas y otros sitios de reunión como la "casa de la amistad", salón de lectura puesto desde el año 1957 bajo el patronazgo de Fray Martín.

Por todas partes surgen hermandades y agrupaciones que trabajan en nombre del Santo y, además de darle culto y promover su devoción, ayudan a enfermos y pobres vergonzantes.

El año 1939, el Presidente del Perú, mariscal Benavides, proclamó a Fray Martín patrono de la Justicia Social, autorizándolo S. S. Pío XII por Carta Apostólica de 10 de junio de 1945.

En Washington, Llewellyn Scott levantó hace varios años un hospicio con el nombre de Fray Martín de Porres.

En nuestro México funciona desde hace tiempo un asilo para niños puesto bajo el nombre y protección de Fray Martín, fundado por la señora que lo dirige. Son niños abandonados por sus padres, muchos de ellos lisiados y enfermos. Se sostiene el centro con limosnas, y en no pocas ocasiones se ha visto su directora en grandes apuros para atenderlos y darles de comer, acudiendo en tales trances a su "santito", sin haber sido jamás defraudada.

En Lima se le ha declarado Patrono de los Farmacéuticos y Practicantes, Abogado de la Asistencia Social y Padre Protector de los Pobres y Enfermos. Por el primer congreso panamericano de Farmacia celebrado en La Habana en diciembre de 1948 y el segundo, tenido en Lima en diciembre de 1951, quedó definitivamente nombrado Patrono de la Farmacia Americana.

En Port Elisabeth (Africa del Sur) ha aparecido una nueva congregación religiosa denominada "Hermanas Dominicas de San Martín de Porres", que cuenta ya con 36 religiosas profesas, 7 novicias y 6 postulantes, de las tribus Xhosas, Basutos, Setswanas, Zulúes y Suazis.

La vida de San Martín presenta tantas facetas, que muchas agrupaciones encuentran en él al patrono deseado.

En Canadá y Francia se le invoca contra las ratas. En Vitoria (España) le han nombrado Patrono del grupo de limpieza, y en Filipinas de la Beneficencia Católica.

La devoción al Santo de color ha logrado miles de conversiones entre los negros nigerianos, congoleses, malgaches y de toda Africa, así como en la India y otros territorios. Por todas partes, incluso en las familias paganas, se ven imágenes, medallas o reliquias, que conservan como preciadas joyas.

Por doquier van apareciendo altares dedicados a nuestro Santo y hasta se levantan iglesias en su honor, lo mismo en España que en Nicaragua, en Argentina que en Nueva Zelanda, en Perú como en Irlanda, las Antillas, Estados Unidos, Filipinas, Goa, Africa del Sur, la India y Madagascar...

También se ha llevado al cine su figura y aparece con frecuencia en las pantallas de la televisión. Para muestra, ahí está la película española "Fray Escoba", protagonizada por el joven cubano Renato Muñoz, que ha tenido un clamoroso éxito donde se ha proyectado, viéndola varias veces el mismo público sin dar muestras de cansancio.

Para terminar la presente obrita lo haremos con palabras del Papa Juan XXIII dirigidas al día siguiente de la canonización de San Martín a un grupo de peregrinos:

"Una flor de primavera se abrió ayer en la Iglesia: San Martín de Porres. En su vida hubo tres amores: Cristo crucificado, Nuestra Señora del Rosario, Santo Domingo. En su corazón ardieron tres pasiones: la caridad, sobre todo, con los pobres y huérfanos; la penitencia más rigurosa, que él estimaba como el precio del amor; y, dando aliento a estas virtudes, la humildad. Esta virtud reduce la visión que el hombre tiene de sí mismo a sus límites verdaderos.

"Martín de Porres era el ángel de Lima: consolaba a los novicios, aconsejaba a los Padres, avenía matrimonios, sanaba enfermedades, conciliaba enemigos, derimía contiendas teológicas y daba su opinión definitiva sobre los negocios más difíciles.

"Al verlo en la gloria de los altares, admiramos a Martín de Porres con el embeleso de quien contempla un deslumbrante panorama desde la cumbre de la montaña... Mas para subir a tales alturas, no se ha de olvidar que la humildad es el camino.

"Que la luz de su vida ilumine a los hombres por el camino de la justicia social cristiana y de la caridad universal sin distinción de color o raza".

Hagamos votos porque se cumplan estos deseos del Padre Santo y para que tengan pronto realidad, no cesemos de decir:

¡SAN MARTIN DE PORRES
RUEGA POR NOSOTROS!

NOVENA A SAN MARTIN DE PORRES

POR EL P. E. PEREZ-HERMIDA, O. P.

ORACION PARA LOS DIAS

La Señal de la Santa Cruz

Por la señal ✠ de la Santa Cruz — de nuestros ✠ enemigos — líbranos, señor ✠ Dios nuestro; en el nombre del Padre, — del Hijo, — y del Espíritu Santo. Amén.

¡Oh Dios misericordioso, que nos disteis en el Bienaventurado Martín un modelo perfecto de humildad, de mortificación y de caridad; y sin mirar a su condición, sino a la fidelidad con que os servía, lo engrandecisteis hasta glorificarlo en vuestro Reino, entre los coros de los Angeles! Miradnos compasivo y hacednos sentir su intercesión poderosa.

Y tú, beatísimo Martín, que viviste sólo para Dios y para tus semejantes; tú que tan solícito fuiste siempre en socorrer a los necesitados, atiende piadoso a los que, admirando tus virtudes y reconociendo tu poder alabamos al Señor que tanto te ensalzó. Haznos sentir los efectos de tu gran caridad, rogando por nosotros al Señor, que tan fielmente premió tus méritos con la eterna gloria. Amén.

DIA PRIMERO

ORIENTACION

Al instruirse el niño Martín en las primeras nociones propias de su edad, comenzaba también a conocer a Dios que ya desde entonces vino a ser la razón y divisa de su conducta. Púsose luego bajo la enseñanza de un maestro que era barbero-cirujano, que en aquel tiempo no sólo sabían el arte propio de la barbería, sino también el de curar enfermedades más corrientes. . Preveía Martín el bien que podía prestar a sus prójimos, y así gustaba de tal oficio, gozoso de poder ser un día útil a sus semejantes. Donde se ve, cómo la Divina Providencia iba orientando a su Siervo, preparándolo para los fines a que lo destinaba.

(*Pídase la gracia que se desea*)

Un Padre Nuestro, diez Ave Marías y un Gloria.

ORACION FINAL

¡Oh feliz Martín, que, contento con tu condición de hijo de una esclava, te dejabas guiar por la mano de Dios ya en tu niñez: haz que nos resignemos en todo a los designios de la Providencia. A imitación tuya aceptamos gustosos la voluntad del Señor y sus designios sobre nosotros. Tú nos enseñas que si somos buenos con El, El será generoso con nosotros; he aquí que queremos servirle fielmente. Ayúdanos tú, Martín bondadoso, y ruega por nosotros a tu amado Jesús, Dios verdadero, que con el Padre y el Espíritu Santo vive y reina por los siglos de los siglos. Amén.

DIA SEGUNDO

FE EN DIOS

Era tan firme la fe de Fray Martín, que suspiraba pidiendo a Dios la gracia de morir por defenderla. Por su parte empleaba el tiempo que le quedaba libre en enseñar la doctrina cristiana a los indios y negros de Lima: luego se iba a Limatambo, distante media legua de la ciudad, y a otras haciendas vecinas, donde enseñaba a los humildes trabajadores y esclavos, consolándolos de sus trabajos y enfermedades, e inspirándoles amor a la Cruz. Hubiera querido multiplicarse, para llevar a todas partes el conocimiento de Dios. El Señor le concedió la gracia especialísima de actuar al parecer a la vez en dos lugares, en cuya virtud, lo vemos instruyendo y consolando a los sufridos negros en el Africa y otros lugares apartados.

(Pídase la gracia que se desea)

Un Padre Nuestro, diez Ave Marías y un Gloria.

ORACION FINAL

¡Oh glorioso San Martín, que desde tus primeros años aprendiste a caminar por los caminos del Señor, firme y siempre tu fe en Dios, celoso por su gloria y salvación de las almas; haz que vivamos esa misma fe, como hijos de Dios que somos. Ruega por nosotros para que te imitemos en la fidelidad, y alcánzanos las gracias particulares que sabes necesitamos, ya que tanto puedes ante nuestro Rey Jesucristo, que vive y reina por los siglos de los siglos. Amén.

DIA TERCERO

MORTIFICACION

Fray Martín, no obstante el conservarse en la gracia bautismal, se consideraba el peor de los nacidos e indignos del hábito que llevaba; y a imitación de su Santo Patriarca, oraba casi toda la noche, disciplinándose hasta por tres veces de un modo cruel. No perdía ocasión de humillarse, gozando cuando se veía despreciado o insultado. Cuando le honraban personas distinguidas, corría a un lugar oculto, y se disciplinaba duramente; si no se le proporcionaba lugar a propósito se abofeteaba diciendo:

—Pobre infeliz ¿cuánto mereciste? . . . no seas soberbio; bien conoces que eres un ruin, que naciste para esclavo de estos señores, y que sólo por amor a Dios pueden sufrirte tantos religiosos santos.

(*Pídase la gracia que se desea*)

Un Padre Nuestro, diez Ave Marías y un Gloria.

ORACION FINAL

¡Oh Dios misericordioso, que nos diste el humilde San Martín como ejemplo de penitencia y mortificación: sednos propicio y olvidad nuestras infidelidades. Y tú, purísimo Martín, que no sólo sufrías resignado tus trabajos y enfermedades, sino que mortificabas duramente tu inocente cuerpo: acércanos al Señor por tu espíritu de penitencia, con el cual al menos, suframos con alegría las mortificaciones de nuestros semejantes y nuestros propios males; para que purificados de nuestros pecados, seamos aceptables a Dios, y acreedores a tu poderosa protección. Amén.

DIA CUARTO

El TAUMATURGO

Eran continuos los prodigios del bienaventurado Martín socorriendo necesitados y curando enfermos. Algunos eran remediados al invocarle estando ausente, y otros con sólo tocar su ropa. Entre éstos, sucedió que visitando a don Mateo Pastor, que le ayudaba en el socorro de los pobres, se hallaba su señora, doña Francisca Vélez, con agudísimo dolor de costado, sin conseguir aliviarse con ninguna medicina. Al llegar el Siervo de Dios, tomó el borde de su capa y la acercó a la parte dolorida, sintiéndose enteramente sana. Atónita exclamó:

—¡Ah! Gran siervo de Dios es Fray Martín, pues el solo contacto de su ropa me ha sanado.

Confundido Fray Martín dijo:

—Dios sólo ha hecho esto, señora. Dé las gracias a Dios, pues yo soy un miserable, y el mayor pecador del mundo. Dios sea bendito, que toma tan vil instrumento para consolarla a usted, y para que no pierda su valor el hábito de mi padre Santo Domingo, aunque lo lleve tan grande pecador como yo.

(*Pídase la gracia que se desea*)
Un Padre Nuestro, diez Ave Marías y un Gloria.

ORACION FINAL

¡Oh glorioso San Martín: bendecimos al Señor por el gran poder que se dignó otorgarte concediéndote dominio sobre la vida y la muerte. Animados por la generosidad con que derramas los dones de Dios, recurrimos a ti con mayor confianza. Pide para nosotros más fe, más amor a Dios, y las gracias que necesitamos. Todo lo esperamos de tu intercesión, y por los méritos de Jesucristo, nuestro Señor. Amén.

DIA QUINTO

PADRE DE LOS POBRES

Por la prontitud con que socorría Fray Martín a los necesitados, le llamaban *Padre de los pobres.* En multitud de casos acudió milagrosamente al que le llamaba enfermo o necesitado. Entre otros, una pobre a la que él solía socorrer, se vio necesitada, con urgencia, de cierta cantidad. No pudiendo ir a encontrarse con el Siervo de Dios clamó en estos términos, repetidas veces:

—Hermano Fray Martín, tu socorro me falta, y no puedo participarte en la gran aflicción en que me hallo.

Al cabo de una hora se presenta el caritativo bienhechor, precisamente con la cantidad que ella necesitaba, diciéndole que no se afligiese, pues Dios conocía las necesidades de los pobres y sabía remediarlas.

(*Pídase la gracia que se desea*)

Un Padre Nuestro, diez Ave Marías y un Gloria.

ORACION FINAL

Bienaventurado Martín, siempre compasivo, padre cariñoso de los pobres y necesitados; míranos con piedad, y ruega siempre por nosotros que te invocamos con fe absoluta en tu bondad y en tu poder. No nos olvides ante Dios, a quien siempre serviste y adoraste: Padre, Hijo y Espíritu Santo, a quien nosotros también queremos servir y adorar ahora y por toda la eternidad. Amén.

DIA SEXTO

AMOR DE DIOS

Todo cuanto Fray Martín hacía en sus prácticas y obligaciones y en relación con sus semejantes, era efecto de su amor a Dios. Cuando oraba, pues, se hallaba como en su centro; con frecuencia, perdía el uso de los sentidos, quedando largo rato en éxtasis. Muchos testigos dieron testimonio, de haberle visto repetidas veces elevado algunas varas sobre el suelo en su celda, en la iglesia y en la sala capitular, conversando con la imagen de Cristo Crucificado. Si a esto añadimos la sublimidad del momento en que recibía a Jesús Sacramentado, en que se sentía como en una gloria anticipada, no nos extrañará el que, aceptando Dios tan grande amor, hiciera tan poderoso a su fiel y amante Siervo.

(*Pídase la gracia que se desea*)
Un Padre Nuestro, diez Ave Marías y un Gloria.

ORACION FINAL

¡Oh Dios mío, que tan generoso sois con quien os ama con sinceridad de corazón; os amamos, pero deseamos amaros más y más. Haced que por intercesión del bienaventurado Martín aumente nuestro amor a Vos.

Y tú, Martín benditísimo, ruega por nosotros, alcanzándonos el amor puro de Dios que nos hará dulce el vivir según su ley. Consíguenos también las demás gracias que sabes necesitamos y esperamos por tu intercesión poderosa y los méritos de Jesucristo nuestro Señor. Amén.

DIA SEPTIMO

AL CIELO

Reveló Dios al bienaventurado Martín el día y hora de su muerte, mostrándose él, desde entonces, más jovial y contento.

Cayó enfermo, y ya no pensó más que en su Dios sobre todo después de recibir el Santo Viático: sin engreírle las visitas que llegaban a su penitente lecho de tablas. Autoridades, prelados, dignidades eclesiásticas y hasta el mismo Virrey Don Luis Fernández de Bobadilla, iban a dar sus últimos encargos para el cielo a aquel humildísimo siervo fiel, que con frecuencia estaba en éxtasis, arrobado en el amor de Dios, a quien siempre había servido.

Se cantó el Credo y al decir aquellas palabras *"se encarnó por el Espíritu Santo en la Virgen Ma-*

ría y se hizo hombre", acercó el pecho al Crucifijo que tenía en sus manos, y cerró suavemente los ojos. Todos lloraban... El Arzobispo exclamó: *Aprendamos a morir.*

(*Pídase la gracia que se desea*)
Un Padre Nuestro, diez Ave Marías y un Gloria.

ORACION FINAL

¡Oh dichoso San Martín, que viste coronados tus trabajos, tus mortificaciones, tu caridad y tu amor a Dios, con una muerte feliz! ¡Ten compasión de nosotros! Todos te lloran. Los necesitados y enfermos creen perder un padre compasivo y el remedio de sus males, y dan rienda a su dolor llorando tu muerte; pero luego ven que tú no los abandonas; te llaman y tú sigues socorriéndolos y aliviando sus males. El estar más cerca del Señor, bienaventurado Martín, ha aumentado tu poder. Oye, pues, también nuestras humildes súplicas, pidiendo al Señor por nosotros para que atienda nuestros ruegos. Y que nuestra muerte sea la de los justos por tu intercesión y los méritos de nuestro Señor Jesucristo. Amén.

DIA OCTAVO

DESPUES DEL TRANSITO

Después de la muerte de Fray Martín, los milagros se multiplicaban. El propio Notario del proceso, don Francisco Blanca, se hallaba con una llaga en un pie, con gran hinchazón en la pierna y grandes dolores. Tenía que actuar al día siguiente. Invocó al Santo, y al momento quedóse dormido; al amanecer se halló perfectamente bien, sin hinchazón, y la llaga seca y sana.

Entre otros prodigios fueron muchos los casos de señoras, que no pudiendo naturalmente dar a luz, lo consiguieron con felicidad al encomendarse al Siervo de Dios Fray Martín; así aconteció a una esclava de doña Isabel Ortiz de Torres; a doña María Beltrán; a otra señora de Arequipa, desahuciada de los médicos, a la que aplicaron una carta de Fray Martín; y particularmente, a doña Graciana Farfán de los Godos, a quien libró de una infección y muerte segura.

(*Pídase la gracia que se desea*)

Un Padre Nuestro, diez Ave Marías y un Gloria.

ORACION FINAL

¡Oh bienaventurado San Martín! Si en la tierra vivías sólo para Dios y para tus semejantes, hoy que te hallas ya junto al trono de la Bondad y de la Misericordia, puedes disponer mejor de tus tesoros. Si aquí conocías dónde estaba la necesidad para remediarla, mejor la ves desde el Cielo donde moras. Mira, pues, Martín bondadoso a los que a ti acudimos con la segura confianza de ser oídos. No defraudes las esperanzas de los que deseamos verte ensalzado en la tierra como Dios te ensalzó llevándote a su Gloria. Amén.

DIA NOVENO

APOTEOSIS

Examinada en Roma la portentosa vida del Siervo de Dios Fray Martín, y a instancia del Rey Felipe Cuarto y de todos los elementos vitales de la ciudad de Lima, envió el Pontífice las Cartas Remisoriales, nombrando jueces apostólicos para formar el proceso solemne. Se comunicó a la Ciudad tan fausta noticia en la Catedral, en solemne función, con asistencia del Virrey, Arzobispo y demás Autoridades civiles, militares y eclesiásticas e inmensidad de público; que no cabía en el gran templo; todos derramaban copiosas lágrimas de gozo, pues se acercaba el tiempo de ver beatificado y canonizado a su querido Fray Martín. Unos a otros referían sus virtudes y los milagros obrados por Dios para confirmar el concepto de Santo en que todos lo tenían.

Hecho el proceso, y firmados por más de ciento sesenta testigos de hechos milagrosos, se cerró y selló ante el pueblo. Emocionado el Arzobispo derramando muchas lágrimas, dijo: *Así honra Dios a este hombre de color que supo servirle y amarle de corazón.*

(*Pídase la gracia que se desea*)
Un Padre Nuestro, diez Ave Marías y un Gloria.

ORACION FINAL

¡Oh Dios, que tan gloriosamente levantas a los abatidos y humildes, y tan generosamente premias el sufrimiento y la caridad! Miradnos postrados ante Vos y glorificad a vuestro humilde Siervo San Martín, ateniéndonos en nuestras súplicas.

Y tú, hermano nuestro benditísimo, que ya te ves glorificado ante el trono del Señor, ruégale por nosotros tanto más dignos de compasión, cuanto más necesitados. Consíguenos las gracias que te pedimos y que un día logremos la gloria del Cielo, donde vives bendiciendo a Dios en compañía de los Angeles y Santos por toda la eternidad. Amén.

HIMNO A SAN MARTIN DE PORRES

Letra: R. P. Fr. Antonio Huguet, O. P.
Música: R. P. Fr. Domingo Isizar, O. P.

¡Oh San Martín!, Bienhechor
milagroso del mundo,
tu vida fue un don sin medida,
ejemplo de amor.
Los enfermos y pobres,
a quienes colmabas de bienes,
por ir de sus almas en pos,
también hoy te aman y ansiosos reclaman
tu virtud y poder ante Dios.
Mi pena y mi mal con fe te confío,
Oh San Martín, Padre mío,
sálvame, por tu gloria inmortal.

ESTROFA

En mis horas de prueba y dolor,
mírame compasivo. Mi anhelo
te pide un consuelo
de aliento y de amor.
A tu dulce piedad yo me entrego;
y, en alas de un ruego,
mi alma, mi vida y mi ser,
requieren la gracia
y santa eficacia
del milagro que está en tu poder.

Mi pena y mi mal
con fe te confío.
Oh San Martín, Padre mío,
sálvame, por tu gloria inmortal!

"En el nombre de la Santísima Trinidad,
En el nombre de Jesucristo, el Hijo de Dios.
En el nombre de José, Patrón de la Iglesia Universal.

San Martín cura (ayuda) a mí (a él, ella)
Para el honor y gloria de Dios
Y la salvación de las almas".

Esta invocación se dice, aplicando al enfermo o tocando con la mano, la reliquia, estampa o medalla de San Martín.

INVOCACION A SAN MARTIN DE PORRES EN LOS CASOS APURADOS

En esta pena y necesidad que me agobia y conturba, sin hallar remedio humano, acudo a ti con piena confianza. ¡Oh bienaventurado Martín, abogado y protector mío. Confío en tu poderoso valimiento ante Dios para que, por tu intercesión y por su infinita bondad, me sean perdonadas mis culpas y me vea libre del mal que me aflige. Dame, al menos, tu espíritu de sacrificio y resignación para que lo sepa santificar. ¡Padre celestial, por los dulces nombres de Jesús y de María y por los méritos de tu fiel Siervo San Martín, sálvame en esta angustia y necesidad, y no permitas que mi alma quede confundida en su esperanza. Amén.

INDICE

Se terminó de imprimir en los talleres de EDICIONES PAULINAS, S. A. de C. V. - Av. Taxqueña No. 1792 - Deleg. Coyoacán - 04250 México, D. F., el 8 de Octubre del 2000. Se imprimieron 3,000 ejemps. más sobrantes para reposición.